Cyfres y Fodrwy

Yn Nwfn y Galon

Addasiad o nofel Saesneg gan
Lilian Peake

Cyhoeddiadau Mei

Pennod 1

Roedd yn llun o ferch brydferth, a'i gwallt gwinau wedi ei drefnu'n hardd, ac roedd gwddf isel ei gwisg liwgar ddi-lewys yn amlygu ffurf y byddai'r rhan fwyaf o ferched yn falch iawn o'i pherchen. Roedd gwên ddeniadol ar ei gwefusau siapus a'i breichiau'n ymestyn i wahodd y darllenwyr i brynu'r nwyddau yn hysbyseb y Cwmni.

Syllodd Linda ar ei llun a brawychu. Roedd rhywun wedi gosod catalog yn agored ar y tudalennau canol ar ei desg, a'i llun hi'n ymledu'n feiddgar dros y ddwy dudalen. O'i chwmpas gwelid pob math o lestri coginio, tuniau pobi, dysglau a sosbannau.

Rhoi ochenaid o edmygedd wnaeth Mandi oedd yn gweithio wrth y ddesg agosaf ati. 'Dwi ddim yn deall pam rwyt ti'n poeni. Tase gen i wyneb fel dy wyneb di...'

'Dyna'r trwbwl,' torrodd Linda ar ei thraws. 'Nid fy wyneb i na fy mhersonoliaeth i sydd gan y ferch yna, dyw ei hystum hi na'r soffistigeiddrwydd ddim yn nodweddiadol ohono' i. Yr holl drwch o bowdwr a phaent roeson nhw arna i...'

'A beth am yr holl emau yna?' meddai Mandi wedyn.

'Sham bob un, yn union fel y darlun ei hun.'

'Ond chdi yw e!'

'Dyw e ddim mwy ohono' i nag wyt tithau, Mandi. Mae hynny'n siŵr o fod yn ddigon eglur i ti.'

'Hwyrach wir,' meddai ei ffrind yn feddylgar, 'ond fe all fod yna ferch yn union fel honna o'r tu fewn i ti sy'n gweiddi am gael dod allan.'

Cuchiodd Linda a chyfaddef mai o'i hanfod y bodlonodd gael tynnu'r lluniau oedd yn y catalog.

'Wel, pam gwnest ti te?' oedd cwestiwn nesa Mandi, gan bwyso ar ddesg Linda a syllu ar y ferch yn yr hysbyseb eang.

'Cael fy mherswadio yn y diwedd gan yr arian oedd yn cael ei gynnig i mi.'

Trodd Mandi ati'n sydyn. 'Dderbyniaist ti mohono gobeithio?'

'Mae'r siec fan hyn yn fy mag i. Fe ddaeth drwy'r post y bore yma.'

'Wel, mae hynny'n gwneud pethau'n waeth. Mae gan y cwmni yma reol bendant. Wyddet ti ddim? Does dim hawl gan neb o'r staff i wneud dim â hysbysebion y cwmni. Ac am dderbyn arian am wneud hynny, wel... mae hynny'n gyfystyr â rhoi rhybudd dy fod ti'n ymddiswyddo.'

'Roedd bai ar y Cwmni am beidio dweud hynny wrtha i,' meddai Linda, a'i bysedd yn gwasgu'n dynn i'w boch.

'Hwyrach eu bod yn cymryd yn ganiataol dy fod ti'n gwybod.'

'Prin ddeufis sy ers i mi ddechre gweithio yma. Sut oedd yn bosib i mi wybod os nad oedd neb wedi fy rhybuddio? A dydwi ddim yn dy feio di,' meddai'n frysiog.

'Taswn i'n gwybod beth oeddet ti'n wneud, fe fyddwn i wedi dweud wrthat. Fe yrrwyd nodyn o gwmpas tua chwe mis yn ôl yn atgoffa pawb o'r rheol... ond wrth reswm, fyddet ti ddim wedi gweld hwnnw chwaith! A soniodd neb wrthat ti am Amy, merch oedd yn gweithio yn yr adran fasnachu; fe dynnwyd ei llun hi mewn gwisg haul, ac yn eistedd ar sedd siglen oedd yn cael ei hysbysebu. Roedd hi ar y clwt ymhen union ddeuddydd wedi i'r hysbyseb ymddangos. Dyna'r pryd yr atgoffwyd y staff am y rheol.'

'Wyddai hi am y rheol?'

Nodiodd Mandi. 'Ond fe'i twyllwyd hi gan ei ffrind, Larry Chapman. Fe ddwedodd wrthi y byddent yn gwneud yn berffaith siŵr na fyddai neb yn ei hadnabod — sôn rhywbeth am driciau camera. Ond fe'i siomwyd; esgus dweud ei bod hi'n rhy bert i guddio'i hwyneb.'

'Larry Chapman berswadiodd finnau hefyd,' meddai Linda yn ffyrnig.

'Dwyt ti ddim yn gyfeillgar ag e?'

Ysgydwodd Linda ei phen. 'Fe ddylai fod wedi dweud wrthyf am y rheol.'

'Unig amcan Larry yw gofalu am ei swydd ei hunan, heb falio dim am y cwmni na'i gydweithwyr. Doeddwn i ddim wedi meddwl dy fod ti'n ferch fyddai'n cael ei dylanwadu gan arian chwaith.'

'Roedd gwir angen arna i.' Suddodd Linda i'w chadair. 'Ac

6

nid i fi fy hun; rwy'n gallu dod i ben yn eitha da ar fy nghyflog. Fy...' tawelodd. 'Y... rheswm teuluol,' eglurodd, gan benderfynu peidio â dweud dim ymhellach.

'Pam na fuasen nhw'n galw ar un o'r merched sy'n gweithio fel modelau? Dyna maen nhw'n arfer wneud.'

'Roedd Larry'n dweud 'mod i'n fwy nodweddiadol o'r merched fyddai'n debyg o ddefnyddio'r llestri oedd i'w hysbysebu.'

Chwarddodd Mandi. 'Ti? Llestri cegin? Ac yn y wisg hardd yna? Paid â syllu'n rhy fanwl ar y llun, Linda, ond rwyt ti'n dangos cryn dipyn o... fe wyddost ti be.'

Cuddiodd Linda ei hwyneb â'i llaw. 'Rwy'n gwybod; mae'n wrthun.'

Clywyd sŵn traed yn dynesu at brif fynedfa'r swyddfa eang. Aeth y gweithwyr i gyd yn anghyffredin o dawel wrth eu desgiau. Lledodd tawelwch fel chwa drwy'r swyddfa fawr agored. Wrth edrych o gwmpas i weld beth oedd achos y newid sydyn, gwelodd Linda ddyn yn sefyll wrth y drws a nifer o ddynion eraill o'i gwmpas. Roedd o bryd tywyll, ac yn llawer talach na'r rhai o'i gwmpas. Gan fod y lleill yn tyrru o'i amgylch, dim ond ei ben a'i ysgwyddau a welai Linda. Ond torrwyd ar ei chwilfrydedd gan bâr o lygaid llwyd, oeraidd fel dur. Taflodd y fath olwg arni nes iddi deimlo'n ddiymadferth, ac wrth iddo droi a cherdded allan gwnaeth ei gilwg iddi ddyfalu beth yn y byd oedd o'i le arni.

Aeth pawb ymlaen â'u gwaith, a syllodd Linda ar Mandi. 'Pwy oedd hwnna?' sisialodd.

'Y bòs mawr ei hunan. Cormac Daly, wnest ti ddim deall?'

'Beth oedd e'n mofyn fan hyn? Yw e'n arfer dod?'

Cododd Mandi ei sgwyddau. 'Fe fydd rhai o'r prif ddynion yn dod i archwilio'r lleoedd llai pwysig weithiau. Ond nid Mr Daly, dyma'r tro cynta.'

'Wyt ti wedi ei gwrdd erioed?'

'Cormac Daly? Fi? Mandi Ash, ddibwys. A'm helpo,' gyda gwên gam. 'Beth wyt ti'n feddwl ohono?'

'Weles i fawr ddim ond ei lygaid e, a tase edrychiad yn gallu lladd, yn fflat ar y llawr yna y byddwn i erbyn hyn.'

Chwarddodd Mandi. 'Dychmygu wyt ti. Mae ganddo ormod ar ei blât i ddod yma'n unswydd i wgu ar un o ferched y swyddfa. Mae wedi bod oddi yma am ryw ddau... na, tri mis i gyd.'

'Dros y môr, mae'n debyg, ar fusnes.'

'Wel, fe glywson ni ei fod ar wyliau sgïo, a'i fod wedi cael damwain ar y llethrau.'

'A nawr mae e'n ôl, ac wedi dod dros ei ddamwain,' meddai Linda. 'O leia, mae'n ymddangos yn debyg. Roedd yn edrych yn iawn, beth bynnag, ond doeddwn i ddim am rythu.'

Roedd gwên wirion ar wyneb Mandi. 'A dim ond ei lygaid a welest ti.'

Ochneidiodd Linda gan ysgwyd ei phen. 'Rhaid mai dychmygu ei fod wedi gwgu arna i wnes i fel y dwedest ti.'

'Hwyrach mai dy wyneb tlws di dynnodd ei sylw.'

'Wyneb tlws yn wir. Does dim allan o'r cyffredin yn fy wyneb i.'

'Nag oes e wir? Mae'r llun yna'n dangos dy fod ti'n dlws iawn.'

Chwarddodd Linda. 'Fel dwedes i, dim fi yw'r llun yna. P'un bynnag, mae'n rhaid ei fod yn awyddus iawn am gwmni benyw os aeth e i'r fath drwbwl i ddod o hyd i'r ferch yn y llun yma.'

'Os gwir y stori, a'i fod wedi cael damwain mewn gwirionedd, mae'n bosib ei fod yn hiraethu am gwmni merch. Roedd rhywun yn dweud fod yna ddynes wedi bod yn ei fywyd ryw dro ac i honno fynd a'i adael, ond...'

'Pwy oedd hi?' Roedd Linda yn llawn cywreinrwydd nawr. 'Ei wraig? Yw e wedi cael ysgariad?'

'Na, dyw e ddim yn briod, ond roedd rhywun wedi ei weld â merch hardd iawn yn cydio yn ei fraich. Ond aeth y stori ar led eu bod wedi gwahanu, ond doedd neb yn gwybod pam.'

Canodd y ffôn ar ddesg Linda a thawelu'r sgwrs.

'Miss Groome, Beti Peters, ysgrifenyddes Mr Daly, sy'n galw. Mae Mr Daly am eich gweld.'

Torrodd chwys allan ar gledrau dwylo Linda. 'Pryd... pryd mae am i mi ddod i'w weld, Miss Peters?'

'Mrs Peters,' cywirodd y llais. 'Mewn ugain munud, os gwelwch yn dda. Mae'r swyddfa ar yr ail lawr. Dowch i fy stafell i gynta. Mae fy enw ar y drws, y pedwerydd ar y chwith.'

'Mae gen i ugain munud i fyw,' anadlodd Linda.

Pwyntiodd Mandi at y ffôn. 'Pwy oedd yna?'

'Ysgrifenyddes Mr Daly. Mae arno eisiau 'ngweld i. Pam, Mandi, pam?'

'Felly nid dychmygu pethau oeddet ti,' meddai Mandi gan swnio'n llawn tosturi. 'Faswn i ddim yn hoffi bod yn dy sgidie di, Linda. Mae'n cael yr enw o fod â chymaint o gyd-ymdeimlad ag anifail gwyllt ar lwgu, a hyd yn oed pan mae e'n teimlo'n garedig mae ei gnoad mor dyner â chnoad crocodeil.'

'Diolch i ti am geisio codi 'nghalon i,' cwynodd Linda.

Chwarddodd Mandi, ond ni welai Linda reswm dros chwerthin. Pwysodd yn ôl yn ei chadair a lluchio'r catalog at ei ffrind.

'Y llun yna yw'r drwg,' meddai. 'Mae'n siŵr o fod wedi ei weld. Mandi, rwy'n mynd i golli 'ngwaith...'

Ysgwyd ei phen wnaeth Mandi. 'Nid gwaith i Gadeirydd y Cwmni yw diswyddo rhai fel ni.'

'Beth ddigwyddodd i'r ferch arall gollodd ei gwaith?' gofynnodd Linda.

'O flaen Mr White sy'n gofalu am ein hadran ni y galwyd hi. Rwy wedi dweud wrthyt ti mai dy wyneb tlws di sy'n denu Mr Daly. Hwyrach ei fod am gynnig swydd well i ti, wyddost ti ddim.'

'Lol i gyd, Mandi,' meddai Linda, ac aeth Mandi ymlaen â'i gwaith.

Ymhen ugain munud roedd Linda yn stafell Mrs Peters. Cododd yr ysgrifenyddes ar unwaith. 'Mae Mr Daly yn barod i'ch gweld,' meddai gan fynd â hi at ddrws y stafell nesa.

'Mrs Peters,' gofynnodd Linda, a'i chalon yn curo fel gordd erbyn hyn, 'mae Mr Daly yn Gadeirydd y Cwmni on'd yw e?'

Synnodd y wraig, a'i llaw ar ddwrn y drws, 'Ydyw, wrth reswm.'

'Does ond prin ddeufis ers pan ddechreuais i weithio yma,' sisialodd. 'Ydych chi'n gwybod pam mae e eisiau 'ngweld i?'

Ysgwyd ei phen ac agor y drws wnaeth Mrs Peters.

'Pam na ofynnwch chi i mi?' brathodd y dyn wrth y ddesg, dros ei ysgwydd. Roedd wedi troi ei sedd i'r naill ochr ac yn lled-orwedd. Roedd yn gwbl hamddenol, a'r sefyllfa dan ei law yn llwyr. Dyma'r pâr llygaid eto, meddyliodd Linda, yn treiddio drwyddi, a'r dur oedd wedi gwneud iddi deimlo'n llai na dim ryw hanner awr yn ôl, yno o hyd. I bob golwg roeddynt yn fwy milain, os rhywbeth.

'Eisteddwch, Miss Groome.' Gorchymyn, nid gwahoddiad. Gan iddo gyfeirio at gadair uchel oedd yn ymyl, eisteddodd Linda gan afael yn ei bag llaw fel pe bai'n cynnal ei bywyd.

Tra'n dal i edrych arni, tynnodd rywbeth o'i ddesg. Rhaid mai fy ffeil i yw honna, meddyliodd Linda. Mae wedi bod yn chwilota i fy hanes fel pe bawn i'n droseddwr. Teimlodd yn ddig iawn. Pan ddaliodd ei gipolwg cyn iddo ddechrau rhoi ei sylw i'r papurau, sylwodd fod ei thymer yn rhoi rhyw fath o foddhad iddo.

Drwy blygu ei phen a chodi ei llygaid, cafodd gyfle i sylwi yn fanwl ar y dyn. Roedd ei wallt brown yn isel ar ei dalcen a braidd yn aflêr fel pe bai'n arfer tynnu ei law drwyddo pan deimlai'n flin. Roedd ei dalcen wedi crychu'n gilwgus, a hynny ynddo'i hunan yn pwysleisio'i drwyn cadarn. Roedd pob rhan o'i wyneb yn amlygu penderfyniad cyndyn, ond y llygaid, oedd yn awr yn troi i'w chyfeiriad hi, oedd yn datguddio'r teyrn yn ei gymeriad.

Gwridodd Linda pan gododd ei aeliau wedi iddo ei dal yn ei wylio. Gwnaeth yntau yr un peth yn ddigon manwl ac yn hollol wyneb-galed er mwyn talu'n ôl iddi. Ond ni ddatguddiodd ei wyneb ddim o'i farn amdani hyd nes iddo syllu ar ei gwefusau llawn, pryd y methodd guddio ei edmygedd gwrywaidd. Ni fu fawr o dro cyn gostwng ei olygon i feirniadu'r gweddill o'i chorff. Er ei bod rai troedfeddi oddi wrtho, teimlai ei chroen yn pigo fel pe bai wedi ei chyffwrdd.

'Codwch, Miss Groome.'

Daeth y gorchymyn mor swta nes iddi godi heb feddwl, ond

dangosai pob osgo ei bod yn anfodlon ar ei ddull o'i thrafod. Ag un edrychiad deifiol arall, agorodd ddrôr a thynnu'r llyfryn damniol allan a'i adael yn agored ar y tudalennau canol.

Gwelodd Linda ei bod yn iawn o'r dechrau. . . y llun oedd y rheswm iddi gael ei galw o flaen pennaeth y cwmni. Roedd un peth yn ddigon amlwg; roedd hi ar fin cael ei diswyddo. Wel, fe ymladdai bob cam o'r ffordd. Wedi hir syllu ar y llun, cododd ei olwg a gofyn yn sarhaus, 'Pwy twyllodd chi i fodloni cael tynnu'r fath lun?'

Cwestiwn miniog, a cheisiodd ei osgoi. 'Rheolwr y stiwdio. Ond nid fi yw'r ferch yna, Mr Daly. Mae'r llun yna'n ffug o'i gorun i'w sawdl.'

'Rwy'n anghydweld. Rydych yn ceisio cuddio'r agwedd yna yn eich cymeriad, ond wnaiff gwadu'r peth fyth ei fwrw allan. Ond peidiwch â phoeni. Mae'n ennyn cywreinrwydd mewn dyn ac yn ei herio i ddod o hyd i'r peth sydd yn hwnna,' gan daro'r llun a phwyntio ati hi. 'Eisteddwch nawr, Miss Groome.' Ar amrantiad roedd wedi newid o fod yn ddyn yn ymdeimlo â'i reddfau rhywiol i fod yn ddyn busnes oeraidd, hunanol.

Os ei drysu a'i bychanu oedd ei amcan, cyfaddefodd Linda wrthi ei hun ei fod wedi llwyddo. 'Rwy'n dal i ddweud nad fi yw honna,' meddai wedyn mewn ymgais arall i brotestio. Ni chymerwyd y sylw lleiaf o'i geiriau.

'Dwedwch wrtha i,' gan godi ei olwg oddi ar y ffeil. 'Pam gadawsoch chi eich swydd gyda Chwmni'r Sinema?'

'Doeddwn i ddim yn hapus yno, ac yn teimlo nad oedd y gyflog yn deg â mi.'

Nodiodd ac edrych ar lythyr arall. 'Pam gadael eich swydd nesa gyda Chwmni Theatr lleol?'

'Wel,' gan rwbio'i thalcen, 'rown i'n mwynhau'r gwaith, ond roedd y Cwmni mewn anhawster ariannol.'

'Mewn geiriau eraill, chwilio am ragor o arian oeddech chi?' Nodiodd Linda.

'Ac fe ddaethoch yma. Ydych chi'n fodlon ar eich cyflog?' Er syndod iddi, roedd yn edrych i'w lygaid. 'Ydwyf, pam?'

'Ond eto, roedd arnoch eisiau rhagor, a'i gael drwy fodloni

i Gwmni Llestri Cegin dynnu eich llun yn yr osgo yma.'

Roedd y croesholi manwl yn dreth ar ei nerfau, a'i arafwch
poenus bron â gwneud iddi sgrechian. A sut yn y byd roedd
o wedi cael gwybod am ochr ariannol ei hanes? Ond hwyrach,
tybiodd wedyn, mai tric oedd y cwestiwn.

Edrychodd yn fanwl arni, a thybiodd Linda ei fod yn cael
boddhad o weld y siom yn ei llygaid a'r gwres yn ei bochau.
'Rydych yn sylweddoli eich bod drwy wneud hyn wedi
peryglu eich swydd gyda ni.'

'Wyddwn i ddim am reol y cwmni bryd hynny,' meddai'n
uchel. 'Doedd neb wedi sôn wrthyf am y rheol tan y bore
yma pan ddosbarthwyd y llyfryn. A hyd yn oed wedyn, fy
ffrind Mandi, ac nid Larry Chapman, roddodd wybod i mi.
Gyrrwyd nodyn allan i atgoffa'r staff am y rheol cyn i fi ddod
yma. Sut y gallwn i wybod?'

'Mae'r rhybudd wedi ei osod ar y bwrdd hysbysebion yn
yr ystafell fwyta. Mae'r swyddogion yn gofalu fod pob aelod
newydd o'r staff yn derbyn copi ar eu diwrnod cynta yn y
swyddfa.'

'Doeddwn i ddim hyd yn oed yn gwybod fod yno fwrdd
hysbysebu, sut felly y medrwn fod wedi gweld y rheol? Dim
ond deufis sy ers pan wyf yma, a dyw hynny ddim yn rhoi
llawer o amser i ddarllen rheolau.'

'Rwy'n deall hynny,' meddai'n swta ddidaro. 'Larry
Chapman . . . ai chi yw ei ffrind newydd?'

'Ydych chi'n awgrymu ei fod am gael fy ngwared i yr un
fath â'r tro o'r blaen y digwyddodd hyn? I ferch o'r enw Amy,
medden nhw. Na, dim o'r fath beth.'

Caeodd drws yn rhywle gyda chlec. Ym mhen Linda roedd
fel rhu taran gan fod Cormac Daly yn cyhoeddi ei ddedfryd
ar yr un pryd. 'Ar ôl gorffen eich gwaith y prynhawn yma,
bydd eich swydd gyda'r cwmni yma yn dod i ben. Fe
dderbyniwch eich cyflog gan gynnwys arian yn lle mis o
rybudd.'

'Ond pam, Mr Daly?' gofynnodd ar golli ei gwynt. 'Rwy
wedi mwynhau gweithio yma, ac wedi dod i ben â'r cyfan
ofynnwyd i mi ei wneud. Gofynnwch i unrhyw un rwy wedi
bod yn gweithio iddo.'

'Rwyf wedi bod yn holi, ac yn cyd-weld â'r hyn rydych chi'n ddweud.'

'Felly pam diswyddo gweithiwr da?'

'Rydych chi wedi torri rheol y cwmni, Miss Groome,' meddai'n bendant.

'Rydw i wedi dweud wrthych mai yn fy anwybodaeth y gwnes i hynny. Chlywsoch chi mohona i?'

Cododd Linda'n sydyn a gafael yn y catalog agored, ac â'i bysedd cynddeiriog ei rwygo'n ddarnau i'r fasged sbwriel. 'Dyna'r peth wedi mynd,' a'i dwylo'n crynu wrth ailafael yn ei bag. Safodd ar ei thraed a'i hwyneb yn fflamgoch, a'i llygaid yn ymbil.

'Yn anffodus i chi,' atebodd a'i lygaid yn fflachio, a thynnodd gopi arall o'r drôr, 'mae gennym fil arall, a llawer eisoes wedi cu dosbarthu.' Caledodd ei wedd yn fwy fyth, a gewynnau ei ên yn tynhau gan dymer.

Ni wyddai Linda beth i'w wneud nawr. Gallai ei herio a mynd allan yn benuchel, neu geisio ymresymu ymhellach ag ef. Ymbwyllodd am rai eiliadau, ond gan na ddwedodd Daly yr un gair, doedd ganddi ddim dewis. Trodd, sythu ei hysgwyddau a brasgamu allan yn herfeiddiol.

Gwyddai Linda y byddai'r urddas hunan-amddiffynnol yn diflannu cyn gynted ag yr âi drwy'r drws. Taflodd gip dros ei hysgwydd wrth fynd allan. Roedd yn edrych, nid arni hi, ond ar y ferch yn y llun.

Ar ras wyllt aeth i lawr y grisiau i stiwdio Larry Chapman. Ar ei ddesg roedd pentwr o'r llyfrynnau. Gafaelodd mewn un a'i agor ar y tudalennau canol. 'Fe wyddoch beth ydych chi wedi wneud,' meddai a'i luchio ato. 'Rydych wedi achosi i mi golli fy ngwaith. Roedd hwnna,' gan bwyntio at y llun, 'yn torri rheol y Cwmni. Fe wyddech chi hynny, ond sonioch chi ddim gair wrtha i. Rwy'n cael gwaith ymatal rhag rhoi eitha glatsien i chi.'

Pwysodd ar ei ddesg a chodi ei ysgwyddau mewn osgo hollol ddihidio. 'Felly, fe wyddwn i am y rheol. Rown i'n cymryd yn ganiataol eich bod chithau wedi ei gweld ar yr hysbysfwrdd yn y stafell fwyta.'

'Ydych chi mewn gwirionedd yn credu y byddech chi wedi llwyddo i fy nhwyllo taswn i'n gwybod, a fy mod i'n ddigon ffôl i beryglu colli fy ngwaith er mwyn hwnna?'

'Does dim gwybod beth wna merch am 'chydig bach 'chwaneg o arian. Fe dderbynioch y tâl gynigiais i chi, on'd do? Sut medrwch chi fy meio i am gasglu y byddech yn fodlon mentro er mwyn tipyn bach o arian dros ben. P'run bynnag, dyw e, y meistr mawr, ddim adre.'

'Mae e wedi dod yn ôl. Heddiw. Mae newydd fy niswyddo i.' Erbyn hyn roedd ar ucha ei llais, a Larry Chapman yn codi ei ddwylo i guddio ei glustiau.

Sythodd yn sydyn. 'Dydych chi ddim yn sôn am Gadeirydd y Cwmni, Cormac Daly ei hun? Pam yn y byd roedd o'n trafod rhywun mor ddi-nod â Linda Groome?'

'Does dim rhaid i chi fod mor wawdlyd, Larry Chapman. A pheidiwch â defnyddio'r gair 'di-nod' yna. Rwy'n dair ar hugain, a...'

'A dim mor ddi-nod, mae'n siŵr,' torrodd ar ei thraws gan rythu arni'n anfoesgar.

Canodd y ffôn. 'Stiwdio yma. Ie, yn siarad.' Wrth wrando, taflodd lygad ar Linda. 'Tâl? Do. Fe gafodd Miss Groome ei thalu, Mr Daly.' 'Mae hi yma nawr, on'd ydech chi, 'nghariad i. Siarad â hi? O'r gore. Dyma hi.'

'Dyma syndod i ddod o hyd i chi lawr yna, Miss Groome.' Roedd llais miniog Daly yn brathu ei chlustiau. 'Ac nid chi yw ffrind newydd Mr Chapman? Dydych chi ddim yn disgwyl i mi gredu hynny bellach?'

'Mae'r hyn ddwedais i'n ddigon gwir, Mr Daly.' Dim ond fy mod i'n gynddeiriog o 'ngho, oedd ar flaen ei thafod.

'Peidiwch â 'mhoeni i â manylion, Miss Groome. Pam na ddwedsoch chi'n onest pan ofynnais oeddech chi wedi derbyn tâl am ganiatáu i Mr Chapman dynnu eich llun?'

'Sôn am y peth wnaethoch chi, ac nid gofyn,' atebodd yn ddigon beiddgar bellach.

'Peidiwch â cheisio dadlau. Fe gawsoch bob cyfle i gyfadde eich bod wedi derbyn tâl. Roedd yn gryn dipyn o arian hefyd, bron yn gymaint â'r hyn fyddai'n rhaid ei dalu i fodel broffesiynol. Fuoch chi'n dadlau'n hir cyn taro bargen, Miss Groome?'

'Fu dim bargeinio o gwbl. Fe ddefnyddiodd Mr Chapman yr arian i fy nhwyllo i fodloni.'

'Ac roedd gwir angen yr arian arnoch chi, wrth reswm?'

'Mae hynny'n wir am bawb y dyddiau yma.'

'Ond roedd angen arbennig arnoch chi!'

Nid cwestiwn oedd hwn, a doedd dim galw am ateb.

Rhoddodd Linda'r ffôn i lawr, a throi at Chapman. 'Mi hoffwn i roi tro yn eich gwddw am achosi i mi golli fy ngwaith!' a rhedodd allan.

Cododd Mandi ei phen pan ddaeth Linda i fewn. 'Pa newydd? Da neu ddrwg?'

Ysgwyd ei phen a gwasgu ei gwefusau wnaeth Linda, ac aeth y ddwy ymlaen â'u gwaith. Ymhen rhyw ddeng munud sisialodd Linda, yng nghysgod y sŵn o'u cwmpas, 'Doedd y si ei fod wedi cael damwain ddim yn wir. Weles i ddim argoel damwain arno.' Ymhen rhai munudau ychwanegodd, 'Hwn yw fy niwrnod ola yma.'

Llithrodd dwylo Mandi oddi ar ei theipiadur. 'Dydi o ddim wedi dy ddiswyddo di? Sut y medrai o, Lin, mor sydyn â hynna? Ddwedest ti ddim wrtho nad oeddet ti'n gwybod am y rheol?'

'Doedd ganddo ddim diddordeb. Soniodd am sawl ffordd y dylwn fod wedi dod i wybod amdani.'

'Rwyt ti'n ferch dda yn dy waith, Linda. Doedd o ddim yn gwybod hynny?'

'Oedd, roedd wedi bod yn holi yn fy nghylch, ac wedi cael adroddiad ffafriol.' Tarodd ei dwrn ar y ddesg, 'Y dyn yna yw'r creadur mwya dideimlad a chreulon sy'n bod...'

Canodd y ffôn ar ei desg.

'Ie,' atebodd Linda'n sychlyd.

'Oes cwmni gennych i fynd allan heno, Linda?' gofynnodd Larry Chapman.

'Mae gennych chi wyneb yn gofyn hynny i mi ar ôl bod mor greulon,' a rhoddodd y ffôn i lawr â chlec. 'Mae'n gas gen i'r Larry Chapman yna.'

Cytunodd Mandi. 'Fe ddylwn fod wedi eich rhybuddio yn ei gylch.'

Ysgydwodd Linda ei phen. 'Fe achosodd i mi golli 'ngwaith, ac mae newydd ofyn i mi fynd allan efo fo heno. Wedi i Mr Daly fy niswyddo, fe es i lawr ato yn syth a rhoi pryd o dafod iddo, a dyna pryd y ffoniodd Mr Daly.' Dywedodd yr hanes wrth ei ffrind.

'Does dim gwahaniaeth bellach. Rydech chi'n mynd oddi yma.'

'Mae hynny'n ddigon gwir.' Ond yr oedd yn wahaniaeth mawr, ac nid colli ei gwaith yn unig. Roedd y siom yn ddyfnach na hynny, mewn gwirionedd roedd mor ddwfn fel na fedrai, er chwilio yn nyfnder ei theimladau, ddod o hyd i'r rheswm.

O hynny tan hanner dydd bu'n dyfalu pa mor hir y byddai hi heb waith. Ceisiodd Mandi ei chysuro, ond heb fawr o lwyddiant.

'Mae'n peri loes i mi fod Mr Daly wedi fy niswyddo am gyn lleied o achos. Ond cyn mynd, bydd yn rhaid i mi wneud cyfle i ddweud wrth y dyn yna beth yn union rwy'n ei feddwl ohono.'

Gwenodd Mandi ac ysgwyd ei phen. 'Dim gobaith; fe fydd wedi gadael ei swyddfa erbyn hyn. Pam na sgrifennwch chi nodyn fel y bydd yn ei dderbyn bore fory pan fyddwch chi wedi gadael y lle?'

'Pan fyddaf wedi gadael y lle.' Edrychodd o'i chwmpas. Dyna'r pryd y llawn sylweddolodd y byddai, ymhen yr awr, heb gyfle i ennill ei bywoliaeth. 'Wn i ddim pam rwy'n para i eistedd fan hyn yn gweithio. Trigain munud eto. . .'

'Ac fe fyddwch yn ddynes rydd,' meddai Mandi o ran hwyl. Edrychodd ar y cloc. 'Pam na chasglwch chi eich pethau nawr?'

Casglodd Linda ei gwaith yn un bwndel, a'i estyn i Mandi i ofalu ei roi i'r person oedd wedi gofyn iddi ateb y llythyron.

'Fe rowch chi ffôn bach i fi rywdro, on'd wnewch?' meddai Mandi gan ymdrechu i gadw'r dagrau'n ôl.

Casglodd Linda ei heiddo personol at ei gilydd. 'Rwy wedi

mwynhau eich cwmni'n fawr, Mandi, ac fe gadwaf mewn cysylltiad â chi.'

Edrychodd o'i chwmpas a gweld pawb arall wrthi'n brysur, ac yn sicr o'u swyddi. Cynhyrfodd hynny hi yn fwy fyth. Roedd pennaeth ei swyddfa wedi cyflwyno ei phapurau i gyd iddi. Rhaid fod Daly wedi trefnu'r cyfan ymlaen llaw. Roedd yn amlwg nad oedd y gobaith lleiaf iddi fyth gael ei swydd yn ôl.

Edrychodd ar yr amlenni a'r dogfennau a roddwyd iddi. O'r gore, meddyliodd, gan nad wyf bellach yn gweithio yma, dyma fy nghyfle i roi gwybod iddo beth yw fy marn ohono.'

Aeth ei thymer â hi ar ras i fyny'r grisiau. Agorodd ddrws swyddfa Mrs Peters â'i gwynt yn ei dwrn. Roedd yn wag. Ond roedd y drws oedd yn cysylltu'r ddwy swyddfa ar agor a chlywodd sŵn siarad.

Doedd dim gwahaniaeth gan Linda pwy oedd yno gydag ef. Tynnodd siec Larry Chapman o'i bag yn barod i'w lluchio yn ôl iddo. Rhuthrodd i swyddfa'r Cadeirydd, rhedeg yr ychydig gamau at ei ddesg a thaflu'r siec ar y ddesg o'i flaen.

'Dyna chi wedi ei chael yn ôl,' gwaeddodd. 'Cymerwch ofal ohoni, siec y cwmni yw hi wedi'r cwbwl!'

Roedd Daly ar ei draed erbyn hyn, a llaw ei ysgrifenyddes ar ei ysgwydd i'w helpu i sefyll yn syth. Roedd yn pwyso ar ddwy ffon fagl oedd wedi eu gosod dan ei benelinoedd, ac yn dal ei goes chwith allan yn syth. Tybiodd Linda ei bod mewn plastr. Gwelodd yn glir fod y si ynghylch y ddamwain yn ddigon gwir.

Syllodd yn llym arni. 'Beth uffern ydych chi'n treio wneud, Miss Groome? Dydw i ddim wedi rhoi caniatâd i chi ddod i fewn yma.'

'Mae'n flin gen i. Wyddwn i ddim eich bod...'

'Yn anabl? Ai dyma'r gair rydych chi'n chwilio amdano?' meddai'n llidiog. 'Rhowch y siec yn ôl i Miss Groome, Mrs Peters.'

'Os rhowch chi hi'n ôl, fe'i rhwygaf.'

'Rwy'n amau hynny. Fe fydd y galw am arian yn drech na'r balchder clwyfedig rydych wedi ei ddangos yma.'

17

Â gwên dyner estynnodd Mrs Peters y siec iddi.

'Os rhwygwch chi honna,' meddai llais miniog ei chyflogwr, 'fe lenwaf un o'm rhai personol. Ac os difethwch chi honno, fe'ch difethaf i chi.'

'Dydw i bellach ddim yn gweithio i chi, Mr Daly. Rwy'n gwrthod...'

'Derbyniwch hi, Miss Groome,' meddai mewn llais rhagrithiol dyner. 'Fe fydd angen yr arian arnoch, mae'n siŵr.'

Roedd yn iawn. Peth ffôl fyddai gwrthod yr arian. Gwnaeth ymdrech i beidio crensio ei dannedd. Ef oedd wedi ennill y frwydr fer. Plygodd y siec a'i rhoi yn ei bag.

'Ydych chi'n gwybod am rywle lle y gallwch gael gwaith, Miss Groome?' galwodd Daly fel roedd Linda yn cyrraedd y drws. Sythodd ei chefn mewn ymdrech i adennill ei hunan barch. 'Nac ydw,' atebodd yn sarrug, 'ond dydi hynny ddim yn fusnes i chi bellach.'

'Mae rhywun rwy i'n ei nabod angen help ysgrifenyddes...' Trodd, gyda thipyn o boen, ac agor drôr yn ei ddesg. 'Gwnewch gopi o'r cyfeiriad yna, Betty, a'i roi i Miss Groome.'

Edrychodd Betty Peters yn syn ar y cyfeiriad, a tharo llygad ar ei chyflogwr. Nodiodd yntau, ac ysgrifennodd hithau'r cyfeiriad a'i estyn i Linda.

Rhoddodd hithau gip arno a chwyno. 'Ond mae hwn ymhell y tu allan i Lundain, a fedrwn i ddim teithio yno o'r lle rwy'n byw.'

'Rwy'n meddwl y bydd yn well i chi wneud cais am y lle, Miss Groome,' cymhellodd Betty Peters, a throi i helpu ei chyflogwr oedd yn symud o'i ddesg.

Trodd Linda ei phen a gwelodd Cormac Daly yn sythu ei sgwyddau llydain gyda help y ffyn baglau oedd yn ei gynnal. Darlun, sylweddolodd, o'i ddull ef o wynebu pob anhawster mewn bywyd, gan gynnwys y ddamwain oedd wedi ei wneud yn anabl, ac a oedd yn amlwg yn dal i achosi cryn boen iddo.

'Diolch i chi,' meddai yn ffurfiol oeraidd. 'Ond rwy'n amau'n fawr a gymeraf i unrhyw sylw o'r peth.' Gwthiodd y papur i'w bag a mynd a'u gadael.

18

Aeth yr wythnos faith yn ben-wythnos, a bore dydd Sadwrn ffoniodd ei mam a mynd i roi tro amdani yn ei fflat yn ne Llundain.

Tra oedd y trên tanddaear yn udo'i ffordd megis drwy dwnnel di-ben-draw, cydiodd Linda yn y darn papur a gafodd gan Mrs Peters. Roedd wedi edrych arno lawer gwaith yn ystod y dyddiau diflas ar ôl iddi golli ei gwaith. Cyfeiriad rhyw le allan yn y wlad ydoedd, tua deng milltir ar hugain i'r gogledd-orllewin o Lundain. Nid oedd enw neb arno, na hyd yn oed rif ffôn. Yr unig ffordd i gysylltu â'r lle oedd mynd yno, curo'r drws a dweud pwy ydoedd ac egluro..., ond beth fedrai hi ddweud? 'Rwy wedi clywed fod rhywun yma angen ysgrifenyddes. Oes posib i mi gael y swydd?'

Roedd y sefyllfa'n hollol wirion, a gwthiodd Linda'r darn papur yn ôl i'w bag. Pan fyddai wedi adennill ei hunan-hyder ar ôl triniaeth lem ei chyn-gyflogwr, bwriadai fynd i swyddfa gyflogaeth. Gwyddai y byddent yno yn holi manylion ei swydd ddiwethaf ac yn cysylltu â'r cyflogwr. Ni fedrai Daly fyth fod mor ddialgar â rhoi enw gwael iddi. Roedd eisoes wedi creu digon o helbul drwy beri iddi golli ei gwaith.

Cafodd groeso cariadus gan ei mam. Ond pan gydiodd yn ei gwaith gwau, sylwodd Linda nad oedd y bysedd yn symud mor chwim ag arfer wrth drafod yr edafedd. Mae'r athreitis yn gwaethygu, meddyliodd, a thrwy hynny roedd perygl i'w hincwm fynd yn llai gan mai gwerthu'r dillad roedd hi'n eu gwau oedd ffon ei bara.

Cyn hir cydiodd Linda yn y gwaith gwau, ac aeth Mrs Groome i'r gegin i hwylio cwpaned o goffi.

'Sut mae'r gwaith yn dod mlaen?' galwodd o'r gegin. Gosododd Linda y gwau o'i llaw. Roedd yn gas ganddi ddweud anwiredd wrth ei mam, ond pe bai hi'n clywed y gwir ni fyddai'n fodlon derbyn yr arian a anfonai Linda iddi bob wythnos, hyd nes y byddai wedi cael swydd arall. Ond nid ar unrhyw gyfri y bodlonai Linda ar beidio â gwneud hynny. 'Mae'n dod ymlaen yn syndod o dda,' galwodd dros sŵn y llestri.

Tra bu ei mam yn y gegin, cafodd Linda gyfle i edrych o

gwmpas y stafell a dyfalu sut y medrai barhau i anfon yr help wythnosol iddi, a chadw digon at ei hanghenion ei hun. Roedd llai o gostau i redeg ei thair stafell hi na fflat ei mam, ond o roi y ddau gost at ei gilydd, prin y byddai dim ar ôl ganddi i dalu am fwyd a dillad.

Roedd ei mam yn derbyn tâl wythnosol yn ogystal â'i phensiwn, ac fe fyddai hithau yn derbyn tâl y di-waith, ond ni fyddai dim byd yn debyg ar ôl i'r hyn a arferai anfon pan oedd yn gweithio.

Unwaith yn rhagor chwiliodd yn ei bag am y cyfeiriad rhyfedd, dienw. Ai doeth fyddai iddi fynd i'r lle dirgelaidd yma ac aros ar ben y drws a gofyn am gael swydd, nad oedd yn bod o gwbl cyn belled ag y gwyddai hi? A hyd yn oed os oedd swydd ar gael, hwyrach y byddai rhywun wedi ei llenwi o'i blaen hi.

Menter fyddai mynd yno, ymresymodd; os byddai rhywun wedi llenwi'r swydd, byddai arian y tocyn trên yn wastraff. Gwthiodd y darn papur unwaith eto yn ôl i'w bag.

'Beth oedd hwnna, Linda?' gofynnodd Rose wrth ddod â'r hambwrdd i fewn a'i hestyn gyda rhyddhad i ddwylo Linda. 'Roeddet ti'n ei wthio'n frysiog i dy fag. Llythyr caru sy gen ti?' Gwenodd a mynd yn ôl i eistedd. 'Wyt ti wedi clywed oddi wrth John yn ddiweddar?' holodd gan syllu'n obeithiol ar ei merch.

'Dim ers wythnosau. Rydech chi'n gwybod fod y cyfan ar ben rhyngom.'

'Fe hoffwn i dy weld yn setlo lawr gyda bachgen dymunol a phriodi, a minnau'n cael wyrion cyn . . . i'r hen ddwylo yma fynd yn rhy stiff i'w dal a gwau iddynt.'

Daeth dagrau i lygaid Linda. 'O, Mam, peidiwch â chodi eich gobeithion. Rhyw ddiwrnod, hwyrach y cwrddaf â rhywun y gallaf ei garu. Ond y dyddiau yma mae merched yn rhoi mwy o bwys ar swydd dda na phriodi'n ifanc a chodi teulu.' Gwenodd ac ysgwyd ei phen. 'Waeth i chi heb â gobeithio. Ar hyn o bryd does yna'r un dyn yr hoffwn hyd yn oed fynd allan gydag e, heb sôn am ei briodi.'

'Ai dyna fel rwyt ti'n teimlo?'

Ar ôl mymryn o betruso, 'Ie, Mam, dyna'r gwir.'

Pennod 2

Aeth wythnos arall o bryderu heibio a Linda ddim nes i'r lan. Cafodd addewid am waith yn ystod gwyliau mewn dwy o'r chwe swyddfa y galwodd ynddynt. Ond addewidion gwag oeddynt. Bu'n gweithio tipyn yn ei fflat, ac anfonodd geisiadau mewn ateb i hysbysebion yn y papurau. Un diwrnod pan oedd yn teimlo'n fwy digalon nag arfer gafaelodd yn yr atlas er ceisio dod o hyd i safle'r cyfeiriad dienw. Wedi hir chwilio gwelodd ei fod mewn tref fechan, ond caeodd yr atlas a'i osod yn ôl ar y silff.

Doedd gwybod ble roedd e ddim yn helpu i setlo'r broblem fu'n ei phoeni ers pan dderbyniodd y darn papur gan Mrs Peters. Methai'n lân â phenderfynu beth i'w wneud; ai mynd ynteu lluchio'r darn papur ac anghofio amdano.

Canodd y ffôn.

'Linda?'

Teimlai fel rhoi clec i'r ffôn.

'Pam rydych chi'n ffonio, Larry?'

'Ydych chi wedi cael swydd erbyn hyn?'

Yn anfodlon iddo wybod y gwir, dywedodd ei bod yn disgwyl clywed penderfyniad terfynol ynglŷn â dwy swydd.

'Ffordd arall o ddweud nad ydych. Mae'r ferch oedd i fod i gael ei llun mewn hysbyseb sy gennyf yn methu dod. Dydy e'n ddim byd anodd, dim ond edrych eich harddaf ar wely heulo. Awydd dod i lenwi'r lle?'

'Dydwi ddim...' Petrusodd a thawelu. Ni fyddai gwrthod o ddim help iddi. Os derbyniai'r cynnig, byddai o leiaf yn medru dal i helpu ei mam.

'O'r gore, dydech chi ddim am ddod. Felly does dim angen yr arian arnoch.' Ni roddodd Chapman y ffôn i lawr.

Byddai'n dda calon gan Linda pe bai hi mewn sefyllfa i roi ei ffôn hi i lawr. Ond roedd ei hangen am arian yn ormod i hynny.

'Gobeithio nad yw'n osgo anweddus.'

'Anweddus! Ydych chi'n meddwl y byddwn i'n gofyn i ferch ddymunol fel chi pe bai'r llun yn rhywbeth o'r fath?'

Roedd yn gas ganddi fargeinio, ond gwelodd fod yn rhaid iddi. 'Beth fydd y tâl, Larry?'

'O, yr un fath â'r tro o'r blaen.' 'Pa mor galed y bu raid i chi fargeinio gydag e, Miss Groome?' Roedd geiriau Cormac Daly yn dal i atseinio yn ei phen.

Wel, dyna'n union oedd yn rhaid iddi wneud. Welai hi fyth mo Daly wedyn, a châi o ddim cyfle i ddannod iddi.

'Mae'n rhaid i fi gael rhagor, Larry. Wedi'r cwbwl, chi wnaeth i fi golli'n swydd.'

'O! Ac rydych chi'n barod i fargeinio erbyn hyn. Mae bod ar y clwt wedi dod â chi lawr i hynny.'

'Dydwi ddim mewn angen. Dim ond fy mod yn sylweddoli gwerth fy llun i chi. Mae un ferch wedi eich gadael mewn penbleth, mae hynny'n iawn on'd yw? Fe fedraf innau lenwi ei lle ar fyr rybudd. Iawn?'

Chwarddodd Chapman. 'Mae bod allan o waith wedi eich gwneud yn fwy craff. Dyna ni te, fe dalaf yr un faint i chi ag i'r ferch broffesiynol, a chostau teithio ar ben hynny.'

'O'r gore. Pryd ydych am i mi ddod yna?'

'Dowch brynhawn fory, mor gynnar ag y medrwch.'

Cofiodd am y tro arall y bu yn ei swyddfa a'r hyn a olygodd yn ei bywyd.

Roedd yn naturiol i Meic y porthor godi ei law a gwenu. Ond teimlai mai peth od oedd iddo ofyn iddi a oedd hi'n falch o gael dod yn ôl. 'Wedi dod i weld Mr Daly?'

Digon gwir iddo fod yn ofalus wrth ei holi hi, ond syndod mawr oedd deall ei fod yn gwybod am ei diswyddo.

Cuchiodd Linda, ac esgus chwerthin. 'Pam yn y byd y byddai rhywun fel fi yn dod yma i weld Mr Daly? Dod yma i gymryd lle'r ferch sydd wedi methu dod wnes i,' meddai'n ddigon sychlyd.

Nodiodd Meic yn ddigon bodlon. Wrth iddo gychwyn i lawr y grisiau, digwyddodd droi'n ôl a'i weld yn siarad yn dawel ar y ffôn. Rhaid ei fod yn cysylltu â rhywun er mwyn gweld oedd hi wedi dweud y gwir ai peidio. Wel, dyna oedd ei waith. Ac eto ni fedrai lai na dyfalu tybed oedd e wedi cael gorchymyn i gadw golwg arbennig ar ferch ifanc o'r enw Linda Groome...

'Campus,' meddai Larry y foment yr aeth hi drwy'r drws. 'Fe'ch talaf chi ymlaen llaw. Fe fydd hynny'n siŵr o'ch cadw chi'n dawel.'

Tynnodd lyfr siec o ddrôr ei ddesg a llenwi siec â'r swm a drefnwyd. Gwelodd Linda dros ei ysgwydd mai siec o'i gyfrif personol ydoedd. 'Siec y cwmni gefais i gennych chi'r tro o'r blaen. Pam y newid?'

'Fe'i caf yn ôl o'u croen nhw, gallwch fentro.'

Derbyniodd y siec, ond gwgodd a gofyn beth oedd yn ei olygu wrth ddweud y byddai'r siec yn ei 'chadw'n dawel'. 'Fe ddwedsoch na fyddai dim yn anweddus yn osgo'r llun.'

'Fyddech chi ddim yn galw gwisgo siwt nofio yn anweddus, fyddech chi, cariad?'

Dechreuodd Linda ysgwyd ei phen. 'O, dowch o'na. Ryden ni'n tynnu at y flwyddyn dwy fil. Pwy sy'n rhoi'r syniadau Fictorianaidd 'ma yn eich pen chi?'

'Fe ddylech fod wedi fy rhybuddio i, Larry. Rwy'n teimlo o 'ngho...'

'Rydych chi'n edrych felly hefyd, a'r siec fras yna yna eich llaw chi.' Trodd i chwilio mewn pentwr o ddillad a thynnu allan ddau ddarn o wisg bolaheulo, mewn lliwiau llachar.

'Beth am y rhai hyn?' Tarodd lygad drosti i gael rhyw syniad o'i maint. Fe ddylent ffitio. Ychydig yn dynn efallai, ond gore i gyd fyddai hynny. Mae gennych gorff mwy siapus na'r rhan fwyaf o'r modelau sy'n dod yma.'

'Dydych chi ddim yn disgwyl i fi wisgo'r rheina?' mynnodd.

Ochneidiodd yntau mewn diflastod, a cheisio cipio'r siec o'i llaw a phwyntio'n awgrymog at y drws.

'Ond mae angen yr arian arna i,' galwodd yn uchel. 'Fe gewch chi dynnu fy llun, ond i chi addo...'

'Rwy wedi eich talu ar yr un raddfa â'r modelau proffesiynol, a fydden nhw ddim yn cwyno, dim ond bwrw ymlaen â'r gwaith.'

Syllodd Linda ar y cyfanswm oedd ar y siec. Roedd yn bendant yn mynd i roi hwb i'w chyfri banc oedd bron wedi mynd yn ddim. Ochneidiodd a rhoi'r siec i gadw.

Cyn hir roedd yn gorwedd ar y gwely heulo a'i braich yn

cynnal ei phen, a'i gwallt sidanaidd yn chwifio'n ysgafn yn yr awel wneud.

'Rhowch eich llaw fan hyn... na dim fan yna,' a phlygodd Larry i osod ei bysedd hirion ar ddarn ucha ei chlun.

Ymlaciwch da chi, a pheidiwch â gwastraffu amser...' Clywodd 'Hei, Larri,' un o'r merched coluro yn ei rybuddio. Pan edrychodd roedd dyn yn llenwi'r drws — dyn ar ffyn baglau, a'i wyneb yn llwyd gan gynddaredd. Symudodd y llygaid oeraidd oddi ar wyneb llawn arswyd y ferch oedd yn lled-orwedd, at y llaw oedd yn oedi ar ei chlun. Roedd y tawelwch yn llethol.

'Codwch, Miss Groome,' brathodd Daly. 'Os medrwch eich gorfodi eich hunan i adael Mr Chapman.'

Cododd Linda'n drwsgwl. 'Rwy wedi bod yn gweithio. Methodd y ferch oedd i fod yma â chyrraedd, a gofynnodd Larry i mi ei helpu drwy gymryd ei lle.'

'Do, mae'n siŵr!' Roedd sarhad yn fflachio o'i lygaid. 'Faint ydych chi'n dalu i'r ferch yma, Chapman?'

'Yr un faint ag i'r modelau.'

'Rhowch hanner hynny iddi.'

'Pam,' gwaeddodd Linda. 'Rwy wedi gwneud y gwaith yn iawn.'

Fflachiai dur o lygaid Daly wrth iddo redeg llygad beirniadol dros gorff Linda. 'Dwi ddim yn amau hynny. Gyda'r holl gymhwyster sy gennych, fedrech chi wneud dim llai.'

Gan daflu edrychiad llawn casineb ar y dyn, gafaelodd Linda mewn coban a'i thynnu'n frysiog amdani. 'Mae e wedi fy nhalu i eisoes, a does ganddo ddim hawl i dynnu hanner yn ôl,' meddai mewn goslef bendant i ddangos mai dyna ddiwedd y mater. 'Fe'i talodd o'i gyfri ei hunan hefyd.'

'Rwy'n bwriadu ei gael yn ôl o gyfri'r Cwmni,' meddai Larri'n frysiog. 'Rwy'n talu fel hynny'n aml.'

'Wel, dyma un tro, Mr Chapman, pan fydd y Cwmni ddim yn talu yn ôl i chi,' gan daflu cip i gyfeiriad Linda.

Estynnodd Larri ei law. 'Mae'n ddrwg gen i Linda fach, ond rhaid i chi roi'r siec yn ôl i fi. Fe brynaf anrheg i chi rywbryd.'

'Mae angen yr arian arna i, Larri,' ymbiliodd Linda bron mewn dagrau. 'Dyna'r unig reswm i mi fodloni i wneud y gwaith yma. Ac fe addawsoch dalu fy nghostau i ddod yma hefyd.'

'Yr un gân eto, Miss Groome,' meddai Daly. 'Byth a hefyd yn gofyn am fwy a mwy o arian. Does dim raid i chi boeni Chapman am eich treuliau,' a thynnodd waled ledr o'i boced. Ni ofynnodd iddi faint oedd ei threuliau, dim ond tynnu swp arian papur o'r waled a'u hestyn iddi. 'Cymrwch y rhain,' meddai, gan egluro mai arian o'i gyfri banc ef oeddynt.

Gan dynnu ei choban yn dynnach amdani, 'Cad...' dechreuodd. Ond o dan yr amgylchiadau, 'Cadwch nhw,' oedd yr un peth na fedrai ei daflu ato.

Croesodd y stiwdio gan geisio dyfalu pam roedd ef yn edrych i lawr fel roedd hi'n mynd tuag ato. Gwelodd fod ei choban heb ei chau'n iawn a bod ei choes chwith yn dod i'r golwg gyda phob cam a roddai. Gwridodd oherwydd y dicter a'r sarhad a deimlai wrth dderbyn ei arian. Roedd ei hatgasedd at y dyn yn fflachio'n amlwg yn ei llygaid gleision hardd.

'Ydych chi ddim yn mynd i'w cyfri?' gwawdiodd yntau wrth iddi droi oddi wrtho.

'Pan mae rhywun mor dlawd ag rydw i, mae'n amhosib iddi wrthod arian sy'n ddyledus iddi, er cymaint yr hoffai wneud hynny,' oedd ei hateb parod.

'Chwiliwch am swydd dda, Miss Groome,' gwaeddodd yntau ar ei hôl. 'Rwy i wedi rhoi un cyfeiriad i chi. Ewch yno.'

'Wyddoch chi ddim llai na 'mod i wedi gwneud hynny,' gwaeddodd yn ddigon siarp.

'Tasech chi wedi gwneud, rwy'n siŵr na fasech chi ddim yma. Mae'r dyn wedi derbyn llythyr yn eich cymeradwyo.'

'Pam oedd yn rhaid i chi fy niswyddo i te?'

Teimlai'n ddiflas wrth fynd i'r stafell newid wedi gweld ei olwg filain, a'r ffaith iddo anwybyddu ei chwestiwn.

Clywodd Daly yn rhoi gorchymyn i Chapman ddinistrio'r ffilm a wnaethai o Miss Groome.

'Y cyfan, Mr Daly? Gwastraff fyddai hynny. Mae hi'n fodel

gampus. O weld ei llun yn gorwedd arno, fe werthai'r gwely
haul wrth y miloedd.'

'Difethwch y ffilm i gyd,' oedd gair ola Cormac Daly cyn
mynd allan.

Wedi cyrraedd adre, ni wyddai Linda beth i'w wneud â hi
ei hun. Teimlai'n llawn dicter. Roedd yn amlwg mai gormeswr
creulon oedd Cormac Daly, yn meddwl y gallai ei rheoli hi
er nad oedd bellach yn ei chyflogi!

Wel, câi weld yn wahanol. Penderfynodd y byddai yn ei
gau'n llwyr allan o'i bywyd, costied a gostio.

Teimlai ei bod yn bryd i'w mam gael gwybod ei helynt.
Diwrnod ganol wythnos oedd hi, a byddai hynny'n awgrymu
i'w mam fod rhywbeth o'i le. Nid oedd wedi ffonio ymlaen
llaw, gan y teimlai y byddai'n haws egluro pethau wyneb yn
wyneb. Â'r agoriad a gawsai gan ei mam aeth i mewn gan
alw'n sionc arni. Rhoddodd gip hwyliog drwy gil drws ei
stafell fyw, ond diflannodd ei gwên pan welod gyflwr ei mam.

'Linda?' Sythodd Rose Groome a cheisio ailafael yn ei
gwaith gweu â'i bysedd stiff. 'Pam rwyt ti'n dod yma fel hyn
ar ddiwrnod gwaith?'

Nid sioc oedd wedi rhoi'r olwg lwyd flinedig ar ei mam.
Cafodd Linda gryn fraw o weld fel roedd ei mam wedi ei
hesgeuluso ei hunan. Arferai fod yn hynod o ofalus ynglŷn
â'i gwisg a'i gwallt, a byddai'n coluro ei hwyneb a oedd yn
dal i edrych yn ddeniadol. Sylweddolodd Linda fod y ffaith
iddi alw'n ddirybudd wedi dangos iddi fel roedd y gwynegon
yn gwneud ei mam yn fwy a mwy anabl.

'Beth sy o'i le?' gofynnodd Linda, a brysio at ei mam.
Sioncodd llygaid y fam.

'O'i le? Dim. Dim yn y byd. Rwy'n iawn, fel y gweli di.'

'Na, wela i ddim. Yr hyn wela i yw eich bod yn ymdrechu'n
galed i guddio eich poen pan wyddoch chi 'mod i'n dod yma,
ac yn dangos yr ochr ora. Roeddwn i'n poeni tipyn amdanoch
o'r blaen, ond fe fydda i'n fwy pryderus byth ar ôl eich gweld
chi heddiw.'

'Rwyt ti'n edrych yn ddigon blinedig dy hun beth bynnag.
A beth sy wedi dod â thi yma ar ganol wythnos?'

'Beth am i ni gael sgwrs efo cwpaned o de?'

Aeth Rose i ymbincio tipyn tra bu Linda yn hwylio'r te.

'Wyt ti'n fodlon ar dy hen fam rŵan te?'

'Wrth reswm 'mod i. Rwy bob amser wedi bod yn fodlon arnoch chi, ac yn eich caru.'

Ar ôl sgwrsio tipyn am hyn a'r llall, penderfynodd Linda ei bod yn bryd iddi dorri'r newydd.

'Wel, rwy allan o waith,' eglurodd.

'Rown i'n amau fod rhywbeth o'i le. Ers pryd, cariad?'

'Pythefnos neu fwy. Ond nid arna i roedd y bai. Mae'n debyg fy mod wedi torri un o reolau'r Cwmni. Doeddwn i ddim wedi bod yno'n ddigon hir i wybod am y rheol.'

'Pa reol oedd honno te?'

Roedd Rose erbyn hyn wedi ailafael yn ei gwau, ac yn cymryd arni dalu sylw mawr iddo.

'Gofynnodd rheolwr y stiwdio a fyddwn yn fodlon cael tynnu fy llun yn bolaheulo ar wely haul i hysbysebu rhai o nwyddau'r Cwmni.'

'Doedd dim drwg yn hynny. Pam yn y byd y cefaist ti dy ddiswyddo?'

'Roedd rheol gan y Cwmni yn gwahardd unrhyw un o'r staff rhag cymryd rhan o gwbwl yn yr hysbysebion. Cytunais innau heb wybod am y rheol. Clywodd Mr Daly, Rheolwr y Cwmni, am y trefniadau ac aeth yn gynddeiriog o'i go. Diwedd y stori oedd iddo fy niswyddo, er i mi egluro na chlywswn i air am y rheol. Ar reolwr y stiwdio roedd y bai. Dyma'r llun mam, ar dudalen ganol y llyfryn hysbysebion.'

'O, mae'n llun hyfryd ohonot ti, un da dros ben.'

'Ydych... ydych... chi ddim yn meddwl fy mod yn dangos 'chydig bach yn ormod ar fy...?'

'Ie, ar y rhai crynion yna,' meddai Rose dan wenu.

'Fe ddylet fod wedi dweud wrthyf cyn hyn am dy drwbwl,' meddai ei mam yn dawel. 'Ond gwn mai ofn fy mhoeni i oeddet ti. Fedri di ddim twyllo dy fam. Fe wyddwn fod rhywbeth o le, ond soniais i ddim nes i ti ddweud wrthyf.'

'Mae'n flin gen i, Mam, ond rwy wedi bod yn chwilio am waith, a neb yn cynnig dim i fi.'

'Am dy fod wedi colli dy swydd arall mae'n debyg.'

'Ond mae gennyf un cyfeiriad. Dim enw, dim rhif ffôn, dim ond cyfeiriad. Mr Daly roddodd hwnnw i fi, a dweud fod rhywun yno angen ysgrifenyddes.'

'Felly all Mr Daly ddim bod cynddrwg â hynny. Wyt ti wedi bod yn y lle?'

'Dim eto. Lle allan yn y wlad ydyw, Mam, a byddai'n rhaid teithio yno ar y trên bob dydd.'

'Fe fyddai'n anghyfleus iawn i ti.'

'Dyna pam nad wyf wedi bod yno. Ond rwy wedi penderfynu rhoi cynnig ar y lle a mentro gwario'r arian i fynd ar y trên.'

'Wyt ti'n meddwl ei bod yn ddoeth i ti fynd yno?'

'Mae'n rhaid i fi, Mam. Mae'n rhaid i fi gael gwaith.'

Safai Linda ar ben mynedfa eang a choed hardd o bobtu iddi. Roedd y llidiardau gwynion ar agor led y pen, fel pe baent yn ei disgwyl. ''Llidiardau Gwynion,'' oedd enw'r plas.

Mae'n anobeithiol, meddai wrthi ei hunan, wrth nesáu at y tŷ mawr ym mhen draw'r fynedfa hir. Siwrne ofer, meddyliai. Pwy fyddai angen help ysgrifenyddes mewn lle o'r fath? Pam yn y byd oedd Cormac Daly wedi rhoi'r cyfeiriad iddi?

Bu raid iddi aros yn hir cyn cael ateb i'r gloch. Gwylltiodd braidd, a thrawodd i'w meddwl fod ganddi ddigon o amser i droi a mynd adre ac anghofio'r arian a wariodd ar y trên. Byddai hynny'n arbed rhoi cyfle i reolwr diegwyddor y cwmni wneud ffŵl ohoni.

'Ie.' Agorwyd y drws fel roedd ar fin dianc. Syllai gŵr penwyn arni'n amyneddgar. Ai hwn oedd perchennog y tŷ hardd? Hwn, hwyrach, oedd angen ei help.

'O, rwy wedi galw... am fy mod...,' chwiliodd yn ei bag a dod o hyd i'r darn papur... 'am fy mod wedi cael eich cyfeiriad. Clywais eich bod yn chwilio am ysgrifenyddes, ond mae'n debyg eich bod,' — gan hanner troi i ffwrdd, — 'wedi llenwi'r swydd ers tro.'

Ysgwyd ei ben wnaeth y dyn. 'Dowch i mewn, os gwelwch yn dda, Miss...'

'Miss Groome. Linda Groome.' Wrth fynd i mewn i'r neuadd dyfalodd beth yn y byd mawr oedd hi'n ei wneud yno, hyd yn oed os oedd y swydd yn dal yn agored.

'Dowch ffordd yma.'

'Diolch,' meddai Linda a'i ddilyn yn benuchel a'i chalon yn curo'n gyflym, a synnu ei bod gymaint o angen gwaith nes dod cyn belled â hyn i chwilio am swydd.

'Mae merch ifanc wedi dod i'ch gweld, Syr,' meddai'r dyn wrth y sawl oedd yn y stafell. Aeth allan wysg ei gefn, a rhoi cyfle i Linda fynd i mewn heibio iddo.

Clywodd y drws yn cau a theimlodd ei choesau'n gwegian fwyfwy, a'i bysedd crynedig yn rhoi nerth iddi drwy wasgu'n dyn am ei bag.

'Dowch fewn, Miss Groome,' meddai Cormac Daly mewn goslef fel petai'n bry copyn yn gwahodd gwybedyn. 'Rwy wedi bod yn eich disgwyl.'

Cafodd wên oeraidd a llygaid digroeso, a bu Daly'n ddigon beiddgar i fwrw golwg feirniadol dros ei chorff a syllu i'w hwyneb llawn atgasedd. Aeth Linda'n oer drosti. Sylwodd fod Daly'n plygu mlaen yn annaturiol dros ei ddesg.

'Taswn i'n gwybod pwy oedd yma,' meddai'n filain, 'faswn i byth wedi gwastraffu fy arian ar docyn trên.'

'Dyna ni 'n'ôl ar yr hen destun, arian a chostau teithio.' Cofiodd am y tro y talodd ei chostau â llond llaw o arian papur.

'Os cynigiwch chi arian i fi eto, Mr Daly fe...,' torrodd ar ei draws.

'Na wnewch, ac fe fyddwch yn ddigon call i beidio cnoi'r llaw sy'n eich bwydo.'

'Dydy hi ddim yn fy mwydo i bellach, Mr Daly.'

Syllodd Daly'n hir unwaith yn rhagor ar ei chorff, yn amlwg yn gwerthfawrogi'r siwt liw haul oedd yn taro i'r dim i'w chorff lluniaidd.

'Fe all, Miss Groome; gall yn rhwydd wneud hynny'n gynt nag y tybiwch. Eisteddwch. Fe alwa i ar Jac Wendon i ddod â choffi i ni.'

'Dydw i ddim am aros, ond diolch i chi 'run peth.'

Â'r llygaid llwydion yn crychu, 'Rwy wedi gofyn i chi eistedd,' meddai.

29

Gwrthododd hithau.

'Gobeithio eich bod yn deall, Miss Groome, y medra i eich rhwystro'n ogystal â'ch helpu i gael swydd.'

'Na fedrwch. Fydda i byth yn sôn amdanoch wrth y Ganolfan Waith.'

'O, felly fyddan nhw ddim yn gofyn lle'r oeddech chi'n gweithio cyn mynd yno i chwilio am waith?'

Eisteddodd Linda.

Aeth yn dawelach anghysurus, a symudai Linda'n anesmwyth yn ei chadair gefnsyth.

'A fyddwch cystal â dod yma, Miss Groome?' Nid yn yr oslef awdurdodol y tro yma, ond ag arlliw o dynerwch. Cyffyrddodd hynny â chalon Linda. Ond yn bendant, nid i ennyn cydymdeimlad, trueni hwyrach, o weld fel yr oedd ei ddamwain wedi ei gaethiwo. Caethiwo'r fath ddyn! Dyn o gymeriad cadarn, ac ysgwyddau llydan, ond â chalon galed.

O dan y crys haf gwddf agored, sylwodd Linda mor gadarn oedd ei frest yn symud wrth iddo anadlu, temtiwyd hi i roi ei llaw arni i brofi sicrwydd ei gynnig rhyfedd i'w helpu i gael swydd. Ond llwyddodd i reoli ei meddyliau ffôl. Hyd yn oed os oedd gan y dyn yma swydd i'w chynnig, ei gwrthod wnâi, ac ni phoenai hi fyth wedyn. Ai dyna mewn gwirionedd a ddymunai?

'Mae arnaf eisiau eich help, os gwelwch yn dda.' Gwyliodd Daly hi'n fanwl; sylwi ei bod yn gyndyn o ymateb cyn ufuddhau i'w gais.

Gan adael ei bag ar y stôl aeth Linda ato a gwelodd ei fod yn cadw ei goes yn stiff yn ei hyd.

'Mae angen y rheina arna i,' meddai, gan nodio ei ben i gyfeiriad pâr o ffyn baglau. 'Fedra i ddim cerdded hebddynt.'

Syllodd yn hir arno. Ni welai'r arwydd lleiaf o hunandosturi, dim ond penderfyniad cadarn i frwydro yn erbyn ei anallu, er ei fod yn gorfod dibynnu ar help a charedigrwydd pobol eraill. Yr oedd y newid yn ei wedd yn dangos yn eglur y poen a'r anghysur a ddioddefai wedi'r ddamwain. Ailenynnodd hynny'r teimlad o drueni a ddaeth drosti ychydig ynghynt. Dim ond trueni, sisialodd wrth ei hunan. Teirant oedd y dyn, mae'n siŵr, ond roedd wedi gofyn am ei help, ac fe'i rhoddai'n ddigon parod. Nid arhosodd i ystyried pam yr oedd mor barod i'w helpu.

'Fe'u hestynnaf,' meddai ar unwaith. Cododd y ffyn baglau o'r llawr a'u gosod ar bwys y bwrdd a sefyll wrth ei ymyl.

'Pam maen nhw mor bell oddi wrthych? Dylai'r sawl a'ch helpodd i ddod yma fod wedi eu gadael yn nes atoch.'

'Doedd dim raid i fi gael help i ddod fewn. Dim ond angen help i godi a sefyll a gorwedd sy arnaf.'

Estynnodd ei law i gychwyn codi a chydiodd hithau ynddi. Aeth ysgytiad sydyn drwyddi, fel petai wedi cydio mewn marworyn. Carlamodd y teimlad yn ei brest, a dilynodd ei chalon y tro yma. Syllai ef arni, ond yn hollol ddideimlad. Ei wên oeraidd a ddatgelai ei ddifyrrwch angharedig, fel petai yn deall ei theimladau hi. Estynnodd ei law arall a'r cledr tuag i fyny. Edrychodd Linda arni'n amheus fel rhywun oedd eisoes wedi cael cnoad, cyn estyn ei llaw arall a'i gosod ar ei law ef. Ni afaelodd ynddi, ond gadael iddo ef gydio yn ei llaw hi. Roedd yn dal i'w gwylio, ond y tro yma llwyddodd Linda i edrych yn gwbwl oeraidd a dideimlad.

'Barod?' gofynnodd, gan ddymuno â'i holl galon fedru casáu cyffwrdd ynddo. Nodiodd yntau. Tynnodd Linda â'i holl nerth, ond ni lwyddodd. Doedd hi ddim yn ddigon cryf i'w godi.

'Mae'n flin gen i,' meddai, gan ymdrechu i ryddhau ei dwylo, 'ond fedra i ddim.'

'Mae'n rhaid i chi ddod yn nes.'

Daeth y wên oeraidd yn ôl. Rhyddhaodd ei dwylo o'r diwedd a phlygu ei freichiau a'u codi. 'Hwyrach y bydd hi'n haws fel hyn.'

Symudodd Linda ei breichiau'n araf a gafael ynddo dan ei geseiliau. Tynhaodd ei stumog gan yr agosrwydd. Y tro yma symudodd ef yn ara, ac o dipyn i beth daeth yn agos ati, — yn nes nag y bu erioed. Teimlodd ên farfog ychydig fodfeddi o'i hwyneb. Cododd ei phen a gwelodd fod y llygaid llwydion yn cuchio fel y sylweddolai ef fod ei agosrwydd yn tarfu arni hi.

Edrychodd Linda i ffwrdd yn frysiog. Poenai fod ei
agosrwydd yn cael y fath effaith arni. Heb edrych arno,
gofynnodd a fedrai aros wrth ei hunan am eiliad. Nodiodd
a chododd hithau'r ffyn baglau. Digon sigledig ydoedd ac
yn gorfod pwyso'n drwm ar y bwrdd. Gosododd y ffyn baglau
ei hunan. Gwingodd am eiliad fer gan boen wrth ymdrechu
i gychwyn cerdded, ond rheolodd ei hunan.

Roedd Linda'n sefyll o'i ffordd, ond teimlai'n gyndyn o
symud oddi wrtho gan gryfed ei atyniad. Nid oeddynt yn
cyffwrdd bellach, ond teimlai fod magned yn ei thynnu'n ôl
ato.

Mae'n rhaid i fi frysio o'r lle yma, meddyliai. Ffolineb yw
hyn i gyd. Welai hi byth mo'r dyn ar ôl heddiw. Yn fy meddwl
mae'r cyfan, a hynny am fod arnaf gymaint o eisiau fy ngwaith
yn ôl, ac yn dawel fach, ffordd o ymbil arno i newid ei feddwl
yw hyn. 'Os gadewch i fi basio.'

Daeth y geiriau oeraidd o foesgar â hi'n ôl at ei choed, a
symudodd tua'r drws.

'Os ydych am gwpaned o goffi, Mr Daly, af i chwilio am
rywun.'

'Rwy'n ymdrechu i wneud gymaint a fedraf dros fy hunan,
yn hytrach nag eistedd yn yr unfan drwy'r dydd. Byddwn
yn mynd yn rhy dew wrth wneud hynny, ac fe fyddai'n
amhosib i ferched glandeg fel chi fy helpu i godi. Ac ar ben
hynny,' gyda chip gwatwarus ar Linda, 'ni fyddent awydd dod
yn agos ataf.'

Wedi clywed y tynerwch yn ei agwedd tuag ati, sioncodd
drwyddi. Fel y cerddai ychydig gamau y tu ôl iddo, clywodd
ei hunan yn gofyn, 'Mr Daly, a wnewch chi roi fy swydd yn
ôl i mi?' Daeth y geiriau allan yn un bwrlwm gwyllt. Gwir
eu bod yn ei phen ers tro, ond ni freuddwydiodd eu dweud
wrtho.

Roedd Daly ar ei ffordd tua'r drws, a heb gymaint â throi
ei ben, 'Na, Miss Groome,' oedd ei ateb.

Safodd Linda yno'n syllu ar ei gefn, ac wedi i hwnnw fynd
o'r golwg, syllodd i'r gwacter. Teimlai iddo roi ergyd greulon
i'w hunan-barch.

Clywodd ef yn galw ar Jac ei fod ef a Miss Groome eisiau coffi. 'Wyddoch chi ble mae'ch gwraig?'

'Fe alwaf arni nawr, Mr Daly.'

Trodd Daly ei ffyn a symud yn ara ac mewn cryn boen yn ôl tua'r gadair. Safai Linda'n hurt yn ei hunfan, gan synnu ei bod wedi gofyn am ei swydd yn ôl, ac yn fwy hurt oherwydd ateb ei chyn-gyflogwr.

O, na, dim eto, meddyliodd pan welodd ei fod yn bwriadu mynd i eistedd yn y gadair. Cododd ei llygaid trist i edrych arno. Fedrai hi ddim diodde cyffwrdd â'r dyn yna eto; dyna'r bedwaredd waith iddo ei hiselhau ers pan gwrddodd ag ef.

Na, nid dyna'r rheswm, meddai'r llais bach tawel o'i mewn. Ofn yr effaith rymus a gâi ef arni roedd hi. Roedd yn ei thynnu nawr hyd yn oed er ci bod yn cadw ei choesau'n stiff i geisio peidio symud.

Ni wnaeth Cormac Daly ddim ond nodio ei ben i gyfeiriad y bwrdd i orchymyn iddi ddod ato. Ni fedrai Linda lai nag ufuddhau a chymryd y ffyn baglau oddi wrtho. Safodd yntau ar ei draed yn disgwyl am ei help. Aeth ato a gafael ym môn ei fraich i'w helpu i eistedd yn ei gadair gan sythu ei goes.

Roedd golwg flinedig, bron yn ddiobaith, arno. Teimlai Linda fel rhuthro i'w gysuro. Yna, er mwyn cael gwared â'i thuedd ffôl, aeth ar unwaith i godi ei bag. Er mwyn tawelwch meddwl, meddai wrthi ei hunan, gore po gynta i fi fynd allan o dŷ Cormac Daly.

'Er hynny, Miss Groome,' meddai, fel pe baent yng nghanol sgwrs, 'mae un swydd ar gael.'

Ymatebodd calon Linda cyn i'w meddwl lyncu'r ffaith yn iawn. Tase hi ddim ond yn gallu dweud wrtho am gadw ei swydd!

Eisteddodd ar ymyl ei stôl. Roedd Cormac Daly yn syllu arni eto â'r llygaid treiddgar arferol. Cuchiodd pan sylwodd ei bod hi'n petruso.

'Pan gefais y cyfeiriad gennych, fe'sonioch fod angen ysgrifenyddes yma,' meddai. 'Mae Mrs Peters gennych, ac ni welaf fod lle i neb arall.'

'Mae'n debyg eich bod wedi sylwi fod y lle yma gryn bellter o Lundain.'

'Ydych chi'n dweud eich bod eisiau ysgrifenyddes yma yn eich cartre hefyd?'

'Mae'n rhaid i fi gael help ble bynnag yr af. Cyn i hyn ddigwydd,' gan daro ei goes, 'arferai Mrs Peters ddod gyda fi weithiau i gynadleddau, ac roedd ei gŵr braidd yn anfodlon hyd yn oed cyn i hyn ddigwydd — cyn fy symud o'r llechwedd sgïo i'r ysbyty.'

'Mae'n rhaid ei fod yn godwm garw.'

'Na, chwympes i ddim, dynes gwympodd, ac wrth i fi fynd i'w helpu, rhuthrodd dyn oedd yn mynd i wneud yr un peth ar fy nhraws, a fi gafodd y gwaetha o'r helbul.'

Soniodd am 'ddynes'. Tybed ai hon oedd y fenyw oedd yn ei ganlyn, yr un y bu Mandi yn sôn amdani?

'Rwy'n gweld,' atebodd Linda, gan nad oedd dim i'w ychwanegu. Ond dwi ddim yn deall yn iawn, meddyliai. Lle mae'r fenyw erbyn hyn?

'Felly,' meddai wedyn gan ei fod ef yn dawel, 'fedrwch chi ddim mynd i'r cynadleddau bellach. Heb...' At beth yn hollol roedd ef yn cyfeirio?

'Heb gwmni i ddod gyda fi.'

Doedd Linda ddim yn deall. 'Sôn am ysgrifenyddes ydych chi. Ond dyw ei gŵr ddim yn fodlon i Mrs Peters fynd a dod i'r rheini a hithau'n tynnu mlaen, felly...' Torrodd ar ei thraws, 'Sôn am gwmni wnes i. Rhywun fyddai gyda mi drwy'r dydd yn fy helpu fel rydych chi newydd fod yn wneud. Rhywun a fyddai o fewn galw yn y nos yn ogystal, ac yn barod i roi pob help i mi.'

Aeth Linda'n fud, a'i chalon yn carlamu.

'Dyna'r swydd sydd gennyf i'w chynnig i chi. Ydw i wedi gwneud pethau'n ddigon eglur i chi?' Roedd ei lais yn ddigon tyner, ond ei lygaid yr un mor oeraidd ag arfer, heb arlliw o dynerwch. 'Ni fyddech chi byth wedyn yn brin o'r hyn sydd mor bwysig i chi; yr hyn y buoch yn barod i dorri rheol Cwmni i'w gael, heb sôn am roi eich lledneisrwydd o'r neilltu i fodelu...'

'Rydych chi'n fy sarhau, Mr Daly, ac mae pob gair a ddwedsoch ymhell o fod yn wir. A sôn am fod yn gwmni i chi, beth bynnag a olygai hynny...'

Torrodd Daly ar ei thraws fel pe bai heb glywed un gair o'i chwyn, 'Fedrwch chi egluro i fi beth yw'r awydd cryf sy ynoch i ennill arian?'

'Gallaf yn ddigon syml. Rwy'n awyddus i gael arian am fod arnaf eu gwir angen.'

Daeth Mrs Wendon â'r coffi i fewn a rhoi taw ar y siarad. Cyflwynodd Cormac Linda iddi ac aeth Mrs Wendon allan a gadael i Linda dywallt y coffi. Roedd Cormac yn dal i'w gwylio gan ddisgwyl iddi ateb ei gwestiwn.

Dros y gwpaned mentrodd Linda egluro iddo. 'Mae fy mam yn rhedeg busnes o'r tŷ. Am rai blynyddoedd bellach mae wedi bod yn gwau dillad i'w gwerthu. Wedi i ni golli fy nhad, dibynnai ar hynny i'n cynnal.'

'Ai byw ar ei phen ei hunan mae hi?'

Nodiodd Linda. 'Gwau i ffrindiau roedd hi ar y dechre, ond fe dyfodd y busnes. Nawr mae'n cael ei phoeni gan arthreitis yn ei dwylo, ac mae'n mynd yn fwy a mwy anodd iddi ddod i ben â'r gwaith. Mae'r gofid ynghylch hynny'n dweud ar ei hiechyd.'

Rhoddodd Linda gip ar Daly, a gwelodd ei fod yn gwbl ddihidio. Roedd ei stori, meddyliai'n siomedig, wedi effeithio ar ei feddwl heb greu gronyn o gydymdeimlad yn ei galon.

'Yw hi'n gwneud y gwaith o ran pleser?'

'Roedd hi ar y dechre, ond nawr mae'n rhaid iddi ddal ati er mwyn yr arian.'

'Felly, beth ydych chi'n bwriadu wneud?'

Codi ei hysgwyddau mewn osgo anobeithiol wnaeth Linda. 'Mae fy mam yn cael triniaeth ar ei dwylo, ond ar waetha hynny, mae'n torri ei chalon. Rwy'n ei helpu drwy dalu'r dreth a rhai biliau eraill. Ond,' edrychodd arno nawr, 'heb waith fedra i ddim gwneud hynny bellach.' Wrth sylwi ar ei olwg ddihidio, teimlodd yn flin ei bod wedi dweud cymaint wrtho. Gwyddai yr edrychai ef ar y cyfan fel ffordd arall o ofyn am gael ei swydd yn ôl.

Cododd ar ei thraed a diolch iddo'n frysiog am wrando. 'Gan nad oes swydd i fi yn y cyfeiriad gefais gennych,' meddai gan dynnu'r darn papur o'i bag a'i osod ar y bwrdd, 'rwy'n mynd adre.'

Disgynnodd y darn papur i'r llawr. Ei adael yno wnaeth Linda.

'Rwyf wedi dweud fod yma swydd i'w llenwi,' meddai Daly'n siarp.

Cododd ei gwrychyn o glywed ei oslef finiog. 'Cadw cwmni i chi? Rwyf wedi dweud wrthych. Dim diolch yn fawr.'

'Damnio'r cadw cwmni,' meddai yntau'n gwta. 'Mae arna i eisiau gwraig. Rwy'n cynnig y safle hwnnw i chi.'

Pennod 3

Aeth Linda i lawr yn swrth ar ei stôl, ei choesau'n gwegian a'i llygaid fel soseri.

'Does bosib eich bod o ddifri,' meddai a'i hanadl yn fyr.

'Fues i erioed yn fwy felly. Fel y dwedes wrthych, mae'n rhaid i fi gael help i symud o gwmpas bob dydd, heb fod gŵr neb yn fy mhoeni'n barhaus ar y ffôn. Bydd angen help yn y nos arnaf hefyd,' meddai'n blwmp ac yn blaen.

'Pwy sy wedi bod yn gwneud hynny hyd yn hyn?'

'Rwy'n cyflogi nyrs i ddod i aros yma dros nos.'

'Beth sy'n eich rhwystro rhag dal i wneud hynny?' gofynnodd Linda gan ymdrechu i gadw'r cryndod o'i llais. Bu'r sioc o'i glywed ef o bawb yn gofyn iddi ei briodi yn ormod iddi.

'Am y rheswm syml nad wyf yn dewis gwneud hynny. Mae angen gwraig arnaf. Rwyf eisiau gwraig.' Edrychodd yn hir arni a dweud, 'Rwy'n rhoi cynnig i chi fod yn wraig i mi.'

'Roedden nhw'n dweud . . . fe glywais eich bod yn canlyn rhywun a'i bod yn debyg o ddod yn wraig i chi.'

'Do, ond mae'r cyfan drosodd ers amser bellach. Tase dynes arall yn fy mywyd fyddwn i ddim yn gofyn i chi 'mhriodi i.'

Ysgydwodd Linda ei phen. 'Mae'n flin gen i, ond fedra i ddim. Mae'r peth yn gwbl amhosib.'

'Pam? Ydech chi'n canlyn rhywun?'

Braidd yn betrus yr atebodd ef. 'Aeth John i weithio mewn gwlad dramor, a gofynnodd i fi fynd gydag ef, ond doeddwn i ddim yn meddwl digon ohono i wneud hynny.'

'Roedd am i chi fyw gydag e?'

'Oedd am dipyn, ac os byddem yn teimlo'n barod i hynny, priodi wedyn. Doedd yn ddim ond mater o drefn a hwylustod.'

'Mater o drefn a hwylustod yw fy nghynnig innau hefyd.'

Gwelodd Linda ei fod yn iawn, a phob gair a ddywedodd yn gywir. 'Ond rywsut, mae hyn yn wahanol,' meddai gan roi ei meddwl ar lafar.

'Beth yw'r gwahaniaeth, Linda?'

Teimlodd Linda fod anwyldeb yn y ffordd y dywedodd ei henw. Syllodd arno. Ond gwyddai hi'n rhy dda beth oedd y gwahaniaeth. Roedd y dyn yma'n cynhyrfu ei synhwyrau ac yn gwneud i'w chalon gyflymu. Roedd ganddo gorff cadarn, a meddwl chwim. Gwyddai o brofiad pan oedd yn gweithio iddo ei fod, cyn gynted ag y meddyliai, yn gweithredu. Nid oedd wedi crybwyll y gair cariad. Rhagrith fyddai iddo fod wedi gwneud hynny. Ond ar waetha'r cwbwl roedd yna ryw deimlad bach od o siom yn ei mynwes.

Byddai'n hoffi pe bai'n bosib iddi briodi'r dyn yma, ac yn fwy na hynny ei briodi o gariad.

'Fedrwn i byth eich priodi, Mr Daly. Fe ddwedes wrthych. Trefn oeraidd yw'r cyfan.'

'Beth fynnech i fi ddweud... fy mod yn eich caru; na fedra i ddim byw hebddoch?'

Ie, ie oedd yn ei meddwl, dyna hoffwn... 'Nage, wrth reswm,' oedd ei hateb. 'Fyddai hynny ddim yn wir.'

'Felly te, rwy i wedi gwneud cytundeb busnes â chi, ac yn cynnig swydd. Heb unrhyw fath o deimlad. Bydd yn drefniant fydd yn ateb fy holl ofynion yn fy anffawd. Yn gyfnewid am hynny byddaf innau'n gyfrifol am eich holl anghenion chi.'

'Fy anghenion i?' gofynnodd yn grynedig.

'Fel fy ngwraig fe fyddwch ar ben eich digon... cysur, dillad, anghenion dyddiol — fydd dim raid i chi feddwl ddwywaith am eu prynu. Fe ofala i eich bod yn cael digon o arian i chi eich hunan hefyd.'

Roedd Linda yn ysgwyd ei phen cyn iddo orffen siarad. 'Fedrwn i byth fy ngwerthu fy hun.'

'Fyddech chi ddim yn meddwl mai tipyn o ordeimlad hen-ffasiwn yw dweud hynny? Dydy merched y dyddiau hyn ddim yn eu gwerthu eu hunain, na hyd yn oed yn eu rhoi eu hunain i ddyn. Edrych arnynt fel partneriaid wneir y dyddiau hyn... neu,' gan godi ei aeliau, 'hwyrach 'mod i heb ddeall pethau'n iawn?'

'Wn i ddim,' gan wneud ymgais i swnio'n ddidaro. 'Dydw i ddim wedi cael y profiad.'

'Dim profiad? Rwy'n synnu atoch,' meddai ef.

'Pam synnu ataf? P'un bynnag, 'na' yw fy ateb i'ch cynnig.'

'Drwy hynny rydych yn gwrthod help i'ch mam.'

'Help i Mam! Pa fath o help?'

'Wn i ddim ymhle mae hi'n byw, ond ydych chi'n fodlon ar y lle ac yn ei weld yn ddigon da iddi?'

'Dim o bell ffordd.'

'Wel, mae yna fwthyn gwag ar dir y tŷ yma. Os derbyniwch fy nghynnig, bydd y bwthyn ar gael iddi, a help sylweddol at ei gadw a'i chostau byw hithau. Fydd dim angen iddi weithio wedyn, dim ond os bydd hi'n dewis neu o ran pleser.'

Y fath drefniant ardderchog, meddyliai. 'Fy mam... fe wyddoch mai dyna fy ngwendid. Blacmel yw peth fel yna, Mr Daly.'

'Peidiwch taflu anfri, Linda, i guddio eich awydd i dderbyn fy nghynnig i ni briodi.'

Gwyddai ei fod yn hollol yn ei le a dyna pam y cwynodd. 'Sut galla i fentro i berthynas sy mor gwbl ddi-deimlad. Rwyf wedi edrych ymlaen at briodi o gariad, ac nid er mwyn cyfleustra.' Roedd wedi codi ei llais, ac yn sydyn sylwodd fod nodyn o apêl ynddo.

'A gredech chi fi tawn i'n dweud wrthych fy mod yn eich caru?'

'Na wnawn, wrth reswm,' meddai yn yr un llais uchel. 'Sut y medrech fy ngharu? Sut y medrwn i...', bu bron iddi ddweud, 'eich caru yn ôl.' Ond fe fedrwn, meddai wrthi ei hunan. Fe fedrwn yn rhwydd syrthio mewn cariad â'r dyn yma. Hoffwn gyffwrdd ynddo'r funud yma, ac aros yn ei ymyl fel roeddwn wrth ei helpu i godi. 'Faint o obaith fyddai i drefniant o'r fath barhau?'

'Gofyn ydych a fyddwn yn eich rhwymo pe byddech yn syrthio mewn cariad â rhywun arall ac am ei briodi? Neu,' gan roi cip ar ei goes, 'pe taswn i'n cwrdd â dynes ac yn ymserchu ynddi ac yn dewis priodi?'

Synnodd fod ei glywed yn dweud hynny yn ei dolurio. Pam, tybed?

'Ie, dyna ofynnais,' meddai. Teimlodd yn nerfus gan ei fod ef yn hir iawn yn ateb ei chwestiwn.

'Bydd yn angenrheidiol i mi gael eich help fel fy ngwraig tra bydd galw am hynny.'

'Hynny yw hyd nes y byddwch wedi gwella'n llwyr?'

'Hynny'n union.'

'Faint o amser gymer hynny?' Sylweddolodd fod yr ateb yn bwysig iawn.

'Mae'r plastr yma'n cael ei dynnu'r wythnos nesa. Ond bydd rhaid cadw'r darnau eraill, yn binnau a phlatiau ac yn y blaen, cyhyd ag y bydd y meddygon yn gweld eu hangen er mwyn i'r esgyrn asio. Does wybod am ba hyd.'

Nodiodd Linda ac eistedd yn aflonydd, croesodd ei choesau a threfnu ei sgert yn ofalus. Pan edrychodd ar Daly sylwodd ei fod yn cael hwyl yn syllu ar ei choesau. Ail-groesodd hwynt, a gwelodd yn ei lygaid rediad ei feddwl... ei bod hi drwy hynny am dynnu ei sylw.

'Fe fyddai, wrth reswm, yn wir briodas,' ychwanegodd.

Daeth lwmp i'w gwddf, ond llwyddodd i'w lyncu. 'Os felly, dwy i ddim yn meddwl...'

'Fyddech chi ddim, tybed, yn disgwyl iddi fod yn ddim gwahanol?'

Gwylltiodd yr ateb tawel, pendant hi. Gwridodd ac ysgwyd ei phen. Dyna fi nawr meddai wrth ei hunan, yn gwybod yn union beth i'w ddisgwyl os derbyniaf ei gynnig. Yn ei phenbleth a'i hofn, dechreuodd ddadlau unwaith eto. 'Mae'r cyfan mor ddideimlad! Rwy newydd ddweud wrthych fy mod bob amser eisiau... yn bwriadu... priodi o gariad.'

Clywodd rywbeth yn debyg i boen yn ei llais.

Yn araf cododd Daly ei law a galw arni. Yr oedd eisiau ei help eto.

Cododd Linda a mynd ato. 'Ydych chi eisiau codi?' Nodiodd. Rhoddodd ei dwylo dan ei geseiliau a'i helpu i godi ar ei draed. Ar amrantiad daeth ei freichiau i lawr a bachu ei dwylo lle'r oeddynt. Yna daliwyd hi mewn gafael o ddur nes y teimlodd esgyrn ei gorff cadarn. Tynnodd ei phen i bwyso ar ei frest. Swynwyd hi gan yr agosrwydd at ei gorff hardd. Yna rhwbiodd hi ei boch yn araf hyd flew tyner ei frest, a'i synhwyrau yn ddall i bopeth ond i'r ffaith ei bod ym mreichiau'r dyn yma. Dywedodd greddf wrthi mai yno yr hoffai fod o'r funud y gwelodd ef.

Daliodd hi oddi wrtho ac edrych i'w hwyneb. Gwelodd yr hyn y bu'n chwilio amdano. Gosododd ei law o'r tu ôl i'w phen a'i wasgu i ddwyn ei gwefusau at ei rai ef oedd wedi plygu'n barod i'w derbyn.

Anghofiodd ei wefusau mai dyma'r tro cynta i'w cyrff gwrdd a gwasgu'n galed ar ei genau tyner hi nes plygu ei chorff tuag yn ôl. Fel pe bai mewn breuddwyd, plygodd yn ôl yn fodlon gan wybod y byddai ef yn gofalu amdani.

Roedd ef yn orawyddus ac yn meddiannu ei gwefusau nes o'r braidd y medrai anadlu. Gafaelodd yn ei freichiau mewn ofn a mwynhad ac ymateb yn llwyr i'w gusanu.

O'r diwedd cododd hi i fyny gan gadw ei wefusau ar ei gwefusau hi. Cafodd ei gwynt ati, ac agorodd ei llygaid, a dyna lle 'roedd ei lygaid ef hyd flewyn amrant oddi wrthi, yn chwilio'n ddyfal i ddyfnderoedd ei henaid. Pan ryddhaodd ei gwefusau, plygodd ei phen i orffwys ar ei frest.

'Edrychwch arna i, Linda.'

Yn ara cododd ei phen. Gwthiodd yntau ei law drwy agoriad ei gwisg at ei bron. Gwrando ar guriadau ei chalon yr oedd, a gwyddai y clywai hwynt yn carlamu.

'Nawr, feiddiwch chi ddweud mai un oeraidd fydd ein priodas ni. Fyddech chi'n dweud mai un ddideimlad fydd ein perthynas rywiol, ac mai hwylustod fydd sail ein perthynas?'

Ysgwyd ei phen wnaeth Linda. Ni fedrai dorri gair. Roedd ei synnwyr cyffredin yn ymdrechu i'w ryddhau ei hunan oddi wrth ei theimladau. Pam rwyf i ym mreichiau'r dyn yma? Pam mae fy nghoesau mor wan nes fy mod yn ofni na fedrant fy nghynnal? Tase ei theimlad yn rhoi'r ateb, gwyddai y byddai ei rheswm yn ei wrthod.

Tra oedd hi'n ymdrechu i ddod lawr i'r ddaear, bu ef yn ei gwylio. Gwelodd Linda gysgod o wên. Cofleidiodd hi, yn fwy addfwyn y tro yma, 'Ydych chi'n barod i addo dod yn wraig i mi?'

Cliriodd ei llwnc. 'Ydwyf,' meddai.

'Heb y cariad y buoch yn sôn amdano, ond, dim ar unrhyw gyfri, yn ddi-serch, fel y profwyd gennym ein dau funud yn ôl?'

'Ie,' oedd ei hateb, a'i llygaid gleision yn chwilio ei rai llwydion ef gan ddisgwyl gweld fod y dur wedi diflannu.

'Er mwyn y fantais ariannol rwy'n addo i chi, a'r cysur y medraf ei drefnu i'ch mam?' Roedd y dur yn dal yno, ac yn fflachio i lawr arni gan ei dallu a pheri i'r dagrau gasglu yng nghefn ei llygaid. Ceisiodd ddod yn rhydd o'i afael, ond gafael yn dynnach wnaeth ef.

'Na, arhoswch,' gorchmynnodd. 'Oeddech chi'n disgwyl i fi ragrithio, wedi'r holl drafod, a dweud wrthych fy mod yn eich caru, yn lle bod yn onest a dal at fy rheswm dros ofyn i chi fy mhriodi?'

'Na.' Llwyddodd i wasgu'r dagrau'n ôl. Rhyddhaodd yntau hi.

'Ond o leiaf dylech ail-ddweud yn eglur y byddwch chi'n manteisio o fy nghael yn wraig, fel y dwedsoch, yn eich ymyl yn y dydd ac o fewn galw yn y nos. Dyna oedd y fargen yntê?'

'Felly, nid yw'r ochr ariannol yn bwysig,' edliwiodd.

'Blacmel ar eich rhan chi oedd hynny, fel y dwedais wrthych.'

'Peidiwch â gwneud ffŵl o'ch hunan, a cheisio 'nhwyllo i eich bod yn hollol anhunanol wrth dderbyn fy nghynnig. Dim ond pan gynigiais help i'ch mam . . . help ymarferol yn golygu costau ariannol . . . y medroch oresgyn eich . . . byddaf yn garedig a'u galw'n egwyddorion, a bodloni fy mhriodi.'

Ysgydwodd Linda ei phen yn drist. Amhosib oedd egluro'r rheswm iddo. Dim ond wedi iddo ei chusanu a'i thynnu i'w freichiau a deffro gwres ei theimladau y bodlonodd ei briodi. Gwyddai nawr mai gwir gariad ydoedd, costied a gostio, dros ba hyd bynnag y byddent yn briod, a faint bynnag o flynyddoedd unig wedi hynny. Cariad ydoedd na fedrai ei ddiddymu.

Yr oedd golwg bell yn ei llygaid pan edrychodd arno. 'Pryd rydw i i gychwyn ar fy swydd newydd, Mr Daly?'

'Y funud yma, Linda.' Roedd gwawd yn ei lygaid.

'Dewisodd fy rhieni fy ngalw yn 'Cormac'. Dwedwch yr enw wrthych eich hunan i glywed sut mae'n swnio.'

'Cormac'. Gwgodd. 'Mae clywed fy hunan yn ei ddweud yn od ryfeddol.' Pam yn y byd yr oedd hi yn ei gartre ac yn ei alw wrth ei enw. . . Teimlodd flas ei gusanau ar ei gwefusau. Llwyddodd i reoli ei meddwl a'i wthio'n ôl i'r berthynas arferol.

Roedd newydd addo priodi'r dyn, onid oedd? Drwy wneud hynny roedd wedi colli am byth y cyfle i fwynhau caru rhamantus, neu unrhyw fath o gariad, hyd yn oed unrhyw serch.

'Rwy'n hoffi eich clywed yn ei ddweud.'

Roedd yn dweud rhywbeth wrthi, a bu bron iddi ofyn, 'Dweud beth?' O hyn allan byddai'n rhaid iddi ei alw'n Cormac, a gwrando arno yntau yn ei galw hithau wrth ei henw. 'Oes raid i fi? A yw hynny'n rhan o'r fargen?' Roedd wedi bwriadu siarad yn gas, ond ei llais arferol a drechodd.

Am eiliad gwenodd yntau, ond diflannod y wên yn fuan. 'Tynnwch eich côt, a gwnewch eich hunan yn gartrefol.' Cartrefol! Cartref? Ai dychmygu gweld tro yn ei wefusau wnaeth hi?

Cymerodd Cormac ei chôt ac edrych am rywle i'w hongian, ac yn y diwedd ei gadael ar y bwrdd. Estynnodd ei law. 'Fy ffyn, os gwelwch yn dda.'

Nid atebodd Linda ar unwaith. Roedd y dôn awdurdodol yn ei dolurio. Ond gwelodd fod arno wir angen help, ac aeth ato. Roedd ef wedi sylwi ar y petruso.

'Beth sy'n bod? Ai fy null sy'n eich poeni? Mae'n rhaid i chi ddysgu byw gyda fy null yn ogystal â byw gyda fi. . . mae hynny'n rhan o'r swydd. Wnewch chi agor y drws?'

Wrth ailgychwyn cerdded estynnodd Daly ei ên fel pe bai'n cau ei ddannedd. Wedi hynny ni ddangosodd unrhyw arwydd o boen. Gan gerdded yn ei ymyl edrychodd Linda o'i chwmpas. Roedd y neuadd yn fawr a darlun mewn olew ar y mur uwch ben y lle tân. Cofiodd mai gwaith gwreiddiol Van Gogh ydoedd, 'Cae Ŷd a Brain'. Roedd cae o ŷd yn blith draphlith mewn storm o derfysg, a phob llwybr o'r cae ar goll yn yr ŷd gwasgarog. Roedd brain yn heidio i wyneb y sawl fyddai'n astudio'r darlun. Doedd hi ddim ar ei phen ei hunan yn ei gofid.

Safodd Daly i Linda agor y drws iddo. Llwyddodd i fynd i'r ystafell ac aros ar y trothwy i Linda ddod fewn.

Cysur oedd prif nodwedd yr ystafell eang, ac nid manion arwynebol. Hoffodd Linda'r awyrgylch gysurlon... Roedd y nenfwd yn uchel a llenni'r ffenestri'n cyrraedd hyd y llawr, a'u lliw yn cyd-fynd â lliw'r cadeiriau a'r setî. Aeth Cormac i eistedd ar y setî lle y gallai ymestyn ei goes dost. Eisteddodd Linda ar un o'r cadeiriau o'r neilltu. Gyrrodd y ffaith eu bod yn eistedd ar wahân ryw don o oerfel drwy ei chorff.

'Bydd yn rhaid i fi ddod i nabod eich teulu,' meddai Cormac.

Syllodd Linda ar y glas tywyll yn y carped. 'Does neb ond fi a Mam. Gwyddoch yn barod ei bod hi'n weddw.'

'Fe hoffwn ei chwrdd.'

Neidiodd calon Linda wrth feddwl am Cormac yn cwrdd â'i mam. Ond hwyrach, meddyliai, y gwnâi hynny sefyllfa afreal yn fwy naturiol; eto, hyd yn oed nawr, ni fedrai gredu'n iawn fod Cormac Daly wedi gofyn iddi ei briodi.

'Rhaid i fi ei ffonio hi gynta.'

'Mae yna ffôn yn y neuadd.'

'Yn Llundain mae mam yn byw, gryn siwrne oddi yma.'

'Fe all Jac, gŵr Mrs Wendon, ein gyrru yno yn fy nghar i. Os yw'n gyfleus, trefnwch i ni fynd yno'r prynhawn yma — tua thri o'r gloch.'

Braidd yn swil oedd Linda wrth gael sgwrs fer gyda'i mam. 'Dim ond taro i'ch gweld. Fe fydd cwmni gen i. Na, neb rydych chi'n nabod.'

Aeth Linda yn ôl i'r stafell a dweud ei bod yn hwylus iddynt fynd yno. Daeth Mrs Wendon i fewn ar ei hôl.

'Sawl un i ginio, Mr Daly?'

'Dau, os gwelwch yn dda, Mrs Wendon. Mae Miss Groome wedi derbyn fy nghynnig i ddod yn wraig i mi.'

'Ydech chi, 'nghariad i. Rwy'n falch iawn clywed, Mr Daly. Os bu erioed angen gwraig ar ddyn i'w gadw mewn trefn, eich dyweddi chi yw hwnnw, Miss Groome. Rydech wedi bod yn dawel iawn ynghylch y peth, Mr Daly. Ffordd yn y byd y llwyddoch i garu hefo coes fel honna?'

Chwarddodd Linda wrth ddychmygu'r pictiwr a awgrymwyd gan Mrs Wendon; ymunodd hyd yn oed Cormac yn yr hwyl. Roedd yn iechyd i Linda ei weld yn chwerthin am unwaith. Cododd ei fraich yn hanner crwn fel ag i'w gwahodd ato. Aeth hithau heb feddwl, a chafodd ei thynnu'n sydyn i lawr ar ei lin a'i fraich amdani.

'Eich coes,' gwaeddodd hithau, gan ymdrechu i ddod yn rhydd am reswm ar wahân i'r goes. 'Fel hyn, Mrs Wendon,' gan dynnu'r carcharor i lawr ato a'i chusanu â chlec uchel er mwyn rhoi hwyl i Mrs Wendon.

Wedi i Mrs Wendon fynd allan, 'Fe ellwch fy ngollwng nawr,' meddai Linda.

'Chi sy'n dweud hynny. Rwy'n mwynhau eich cael yn union fan hyn. Fe ddowch i fy nabod yn well gyda hyn. Rwy'n rhoi deng niwrnod i chi baratoi, dim mwy, dim llai.'

Pan ddaeth Mrs Wendon â'r cwrs cynta i fewn, dwedodd ei bod yn synnu at gael ychwanegiad annisgwyl, ac un hapus iawn, at y teulu.

'Mae Mrs Wendon yn dod i'r tŷ bob bore,' meddai Cormac wedi iddi fynd allan. 'Mae'n glanhau a gofalu am y lle fel pe tase hi'n ei berchen. Pan fyddwch chi wedi dod yma i fyw eich gair chi ac nid fy un i fydd yn cyfri wedyn ynghylch beth fydd y trefniadau am y dydd!'

Nodiodd Linda gan obeithio mai yn ara deg y rhoid arni'r cyfrifoldeb am y cartre a'r busnes heb sôn am y nyrsio.

Ar ôl gorffen eu cinio aeth y ddau at y car, a helpodd Jac Wendon ef i'r sedd ôl tra oedd Linda'n cychwyn am y sedd flaen. Galwodd Cormac arni'n ôl a dweud yn gwta fod digon o le yn ei ymyl ef.

Gan fod yn rhaid iddo gadw ei goes yn syth ni fedrai eistedd ond yn groes i'r sedd; cwynodd Linda mai chydig iawn o le oedd iddi. 'Eisteddwch fan hyn, Linda.'

Gwelodd Jac Wendon fod y lle yn gul iawn, ond tybiodd fod ei feistr am gael ei gariad wrth ei ymyl ar y siwrne.

Llusgodd Linda i fewn, ond cyn hir gofynnodd Cormac pam roedd hi mor aflonydd.

'Dim ond ceisio gosod fy hunan yn gyfforddus,' cwynodd.

'Codwch eich coesau dros fy rhai i,' gan edrych arni'n gwneud hynny. Cododd ei goes iach dros ei rhai hi, a'u dal yn eu hunfan. Gosododd ei law ar ei chlun.

Edrychodd yn gas arno, a thaflodd yntau wên wirion o'i gweld mor anesmwyth. Diolch byth, meddyliai, nad yw'n sylweddoli beth yw effaith hyn ar fy syniad amdano.

Mewn ychydig symudodd ei law yn uwch. Ar unwaith daeth ei llaw hi i lawr ar ben y llaw arall. 'Os gwelwch yn dda, peidiwch,' sisialodd, gan obeithio na fedrai Jac Wendon ei chlywed.

Ni symudodd Cormac ei law, a'r unig arwydd ei fod wedi ei chlywed oedd gwên sur a throi ei ben i edrych allan drwy'r ffenest. Roedd ei greddfau'n gwrthwynebu, ac yn creu teimlad poenus o hiraeth. I feddwl y medrai wneud hynny cyn pen awr wedi iddo ofyn iddi ei briodi. Eto roedd yn debyg nad oedd hi hyd yn oed wedi torri wyneb ei deimladau. Ond a oedd hynny'n rhyfedd? gofynnodd i'w hunan, gan nad oedd y trefniant a gynigiodd ef ac a dderbyniodd hithau'n ddim ond cyfleustra dros dro iddo ef.

A oedd yn bosib mai dim ond wythnos yn ôl y dwedodd wrthi ei hunan mai gormeswr ydoedd, ac y gwnâi bob ymdrech i'w anghofio? Nawr roedd yn llwyr dan ei ddylanwad a'i agosrwydd yn peri i'w chalon guro'n gyflym. Ond y peth oedd yn ei dychryn oedd fod y teimlad tu fewn iddi, teimlad na fedrai ei reoli, yn bodloni ar hynny.

'Rwy am aros yn y dre, Jac,' meddai Cormac wrth y gyrrwr, ac enwi gemydd adnabyddus.

'Pam?' gofynnodd Linda, yn methu coelio'r peth.

'Beth fyddech chi'n feddwl?' gofynnodd Cormac yn sychlyd.

'Modrwy ddyweddïo? Does dim galw am hynny.'

'Hwyrach nad oes, ond rhaid gwneud argraff ar y byd a'i wraig, ac mae modrwy yn arwydd o fy ffyddlondeb llwyr i fy ngwraig brydferth... hyd yn oed os dros dro yn unig.'

Roedd y fodrwy a ddewisodd Cormac yn eithriadol o hardd, ac ynddi ddeiamwnt mawr a darnau o saffir yn gylch o'i gwmpas.

Gwnaeth Linda ymdrech i'w gwrthod, nid am nad oedd yn ei hoffi ond fod y pris yn codi arswyd arni. Safai Cormac yn hollol ddidaro ac ni wnaeth sylw o'i phrotest wrth iddo arwyddo'r siec. Rhoddodd y bocs bach yn ei boced, a chyda help Linda aeth tua'r drws.

Wrth aros am y car dywedodd Linda fod ei mam yn eu disgwyl tua thri o'r gloch.

Nodiodd Cormac yn ddiamynedd am iddi ddweud yr hyn a wyddai eisoes. 'Chaiff hi ddim o'i siomi. A yw hi'n abal i ofalu ar ei hôl ei hunan, neu a oes angen help arni?'

'Oes, mae angen help arni ond . . .'

'Fedr hi ddim fforddio hynny,' meddai Cormac ar ei thraws.

'Mynd i ddweud oeddwn i ei bod yn dal ati ar waetha'r boen, ac mae hynny'n difa ei nerth, a hithau'n ymdrechu i gwrdd â'r archebion.'

'Fe ofala i am bob cysur iddi,' gan daflu llygad ar Linda a gweld diolchgarwch yn ei gwedd. 'Fe gofiwch, Linda, fod hynny'n rhan o'r fargen.'

Roedd ei agwedd ddidaro ac oeraidd yn difetha'r caredigrwydd, ac yn ergyd i Linda.

Mor galed yw'r dyn yma, fy narpar ŵr, meddyliodd. Yn beiriannol helpodd ef i fynd i'r car, ac eistedd yn ei ymyl. Mae wedi cynnig priodas heb gariad i mi; mae ei nwyd yn ddi-serch.

Er hynny, o'i safbwynt ef, gwyddai pan ddeuai'r amser, a dod a wnâi, y byddai'n barod i'w rhoi ei hunan yn llwyr iddo. Gwyddai sut y teimlai yn awr pan gyffyrddai â hi, neu hyd yn oed edrych arni . . .

Wedi iddynt gyrraedd helpodd Jac Wendon ei feistr allan a mynd yn ôl i'r car ac agor ei bapur newydd.

Cerddodd Linda wrth ochr Cormac at y tŷ. Teimlodd ei llaw yn crynu wrth droi'r goriad yn y clo. Roedd cymaint o newyddion ganddi i'w mam, digon i ysgwyd ei byd bach i'w wreiddiau.

'Mam,' gwaeddodd, yn teimlo'n barod i regi'r cryndod yn ei llais. 'Ryden ni wedi cyrraedd!' Gwylltiodd pan na chafodd ateb. Roedd rhwng dau feddwl pa un ai rhedeg i fewn neu aros i helpu Cormac wnâi.

Ei phryder gariodd y dydd, a chyda gair wrth Cormac, brysiodd at ei mam. Roedd Rose yn eistedd ar y soffa; y gwaith gwau i gyd wedi ei glirio o'r golwg, a'i dwylo wedi eu plethu ar ei glin. Roedd yn edrych fel angel, ei gwallt wedi ei drefnu'n bert, ac roedd ei dillad gorau amdani.

'Mam, rown i...'

'Mrs Groome?' Roedd Cormac yn sefyll yn y drws. Roedd ei lygaid yn gwibio rhwng y fam a'r ferch, ac yn syllu'n hwy ar Linda. Diflannodd y wên o'i wyneb ac aeth y llygaid oedd yn rhan o'r wên fel rhew.

Methai Linda â deall pam roedd yn haeddu'r fath edrychiad. Ni wyddai beth oedd wedi peri i'w mam wisgo ar ei gorau ond roedd yn falch o hynny. Ond os oedd Cormac Daly yn teimlo ei fod yn ei iselhau ei hunan drwy alw i weld gwraig ddirodres mewn cartre syml, wel, cyn belled ag yr oedd hi yn y cwestiwn, dyna ben ar y fargen.

'Linda annwyl,' meddai ei mam. 'Pryd wyt ti'n mynd i gyflwyno'r gŵr bonheddig?'

'O, mae'n ddrwg gen i mam. Dyma Cormac... Cormac Daly... C...Cormac, dyma fy mam.'

Edrychodd Mrs Groome o'r naill at y llall, oddi wrth ei merch at y dyn a gyflwynwyd iddi wrth ei enw bedydd. Estynnodd ei llaw. Gwelodd Linda fod ei mam wedi rhoi pob modrwy a feddai ar ei bysedd. Ai tybed mai er mwyn cuddio'r gwendid y gwnaeth hynny?

Gwyddai yn iawn ei fod yn natur ei mam i ddangos yr ochor orau bob amser, waeth faint yr ymdrech. Sut oedd ei mam wedi synhwyro pwysigrwydd yr ymweliad? Roedd hynny'n ddirgelwch llwyr i Linda, ond roedd yn falch iawn iddi fod ar ei gorau i gwrdd â Cormac.

Herciodd Cormac ati ac ysgwyd llaw â hi. 'Mae'n braf cael eich cwrdd, Mrs Groome.' Er syndod i Linda, swniai'n gwbwl ddiffuant, a'r wên yn ôl ar ei wedd... er parch i'r fam. Ond trodd i edrych yn amheus ar Linda, ymhell o fod yn gwenu. 'Ble ca i eistedd?' gofynnodd.

'Rhywle sy'n gyfleus,' meddai Linda'n ffwdanus.

'Fan acw fydd ore i chi, Mr Daly,' meddai Rose yn garedig.

Edrychodd Cormac ar Linda i ofyn am help, ac aeth hithau ato ar unwaith a gafael yn y ffyn baglau. Nodiodd ei ddiolch.

'Mae fy merch wedi sôn amdanoch wrthyf, Mr Daly.'

Arswydodd Linda rhag ofn iddi ollwng y gath o'r cwd.

'Mae'n siŵr nad oedd ganddi ddim byd da iawn i'w ddweud wrthych.'

Dechreuodd Mrs Groome ei ateb, ond cododd Cormac ei law i'w thawelu. 'Na, peidiwch ateb; rwy'n gwybod beth mae hi'n feddwl ohonof.'

Gwridodd Linda a gofyn i Cormac a oedd yn siŵr o hynny.

'Fe ddylwn fod dan yr amgylchiadau,' a'i lais tyner yn awgrymu ffug gyfrinach hapus.

'Mae'n flin iawn gennyf eich bod wedi cael niwed, Mr Daly.'

'Cael damwain wrth sgïo wnes i,' meddai'n gwta gan awgrymu nad oedd eisiau sôn gair ymhellach am y peth.

'Soniodd Linda ddim am y ddamwain.'

'Fu dim achos i sôn am hynny, Mam,' a mymryn o sŵn cerydd yn ei llais.

'Dridiau yn ôl y gwelais ti, ac fe ddwedaist dy fod yn mynd i chwilio am swydd mewn cyfeiriad oeddet wedi ei gael. Est ti ddim yno wedi'r cwbwl?' Agorodd ei llygaid mewn syndod. 'Wel ie, ddwedaist ti ddim mai Mr Daly oedd wedi rhoi'r cyfeiriad i ti?'

'Do, do.' Aeth Linda i eistedd yn ymyl ei mam. 'A phwy feddyliech chi oedd yno yn fy nisgwyl?'

'Mr Daly,' meddai Rose yn wên i gyd. 'Dyna garedig yntê! Yn enwedig wedi iddo dy ddiswyddo hefyd. Dull digon od, Mr Daly. Ei diswyddo i ddechre, yna trefnu mewn ffordd ffwdanus iddi gael cyfweliad am swydd arall?'

Estynnodd Cormac y bocs bach o'i boced. 'Fe'i gelwais yn ôl er mwyn hyn.' Agorodd y bocs a dangos y fodrwy ddyweddïo iddi.

Pennod 4

'Linda.'

Gorchymyn ydoedd, ac roedd ufuddhau iddo yn groes i'r graen i Linda. Gwyddai na fedrai wrthod. Eisteddodd ar fraich ei stôl.

Cydiodd Cormac yn ei llaw a llithro'r fodrwy ar ei bys. Yna tynnodd hi i lawr i eistedd wrth ei ymyl a rhoi cusan iddi, cusan oeraidd ddideimlad. Y fath gusan ddyweddïo! Cododd ffit o gryndod ar Linda. Trodd Cormac at Rose Groome, a sylwodd Linda fod ei mam mewn penbleth. Ni thwyllwyd hi gan y fath gusan ddidaro.

'Mae eich merch wedi cytuno i fy mhriodi, Mrs Groome. Fedrwch chi oddef ei cholli a'i rhoi yn fy ngofal i?'

Cuchiodd Mrs Groome; edrychiad mam bryderus ydoedd. 'Rwy'n dal i fethu â deall sut mae hyn wedi digwydd. Roedd Linda'n meddwl eich bod wedi digio wrthi. Soniodd hi ddim gair eich bod eich dau wedi syrthio mewn cariad, heb sôn am briodi.'

Tynnodd Cormac Linda i eistedd ar ei lin, fel y gwnaeth o flaen Mrs Wendon, ond y tro yma ni roddodd gusan swnllyd iddi fel y gwnaeth i blesio Mrs Wendon. Rhoddodd ei freichiau amdani a'i thynnu'n dynn ato, a sibrwd wrthi am ymateb.

Roedd Linda yn falch o'r cyfle i roi ei breichiau am ei wddf.

'Rhowch gusan i fi,' sisialodd wedyn, ac ufuddhaodd Linda. Caeodd ei llygaid, wrth ei bodd yn ymateb i'w gusanu. Cusanu gwahanol iawn i'r gusan a gawsai ychydig ynghynt. Prin y medrai gredu mai'r un dyn ydoedd.

Pan gododd ei phen edrychodd i'w lygaid. Ni fedrai lai na dangos ei phleser o fod yn ei freichiau, a'r teimlad o gariad cynnes oedd rhyngddynt, ar waetha'r teimlad oeraidd a ddangosodd ynghynt.

Trodd Linda ei hwyneb gwridog at ei mam. Roedd Cormac yn dal i'w chofleidio, a hithau'n llwyr fwynhau'r agosrwydd.

'Beth ydych yn feddwl erbyn hyn, Mrs Groome?' gofynnodd Cormac gyda gwên.

'Rwy'n casglu,' meddai Rose gan chwarae â'i modrwyon, 'rwy'n casglu fod yna deimlad dwfn rhyngoch.'

'O, mae hynny'n ddigon siŵr, Mrs Groome,' meddai Cormac yn bendant, a'i wên mor llydan fel y dyfalodd Linda faint o ymdrech fu hynny iddo. 'Fydd serch a chyd-ddeall ddim yn brin yn ein bywyd priodasol ni. Pinsiodd ên Linda ac ymdrechodd hithau i beidio dangos y boen. 'Rwy'n bwriadu gwneud ein priodas yn llwyddiant mawr.'

'A beth amdana i...?' Gwthiodd Linda y geiriau ato'n flin, ond cusanodd yntau hi. Aeth yn ddiffrwyth yn ei freichiau, a syllu arno a'i llygaid yn llyn gan ei chariad tuag ato. Cariad a ddaeth o unman a chariad, meddyliai'n drist, na fyddai dim ymateb iddo chwaith.

'Linda annwyl,' siaradai ei mam yn hynod addfwyn, a throdd Linda i edrych arni o freichiau Cormac. 'Mae fy meddwl yn dawel nawr. Dwn i ddim pam y meddyliais y byddet yn barod i briodi dyn nad oeddet yn teimlo cariad pur tuag ato.'

Rhyddhaodd Linda ei hunan o freichiau Cormac a mynd i eistedd ar stôl deirtroed yn ymyl ei mam. 'Rwy'n falch eich bod yn hapus yn ein cylch, Mam. Cariad a ddaeth o unman yn sydyn ydyw, yntê Cormac?' Syllodd arno'n galed yn ei herio i beidio gwadu'r peth. 'Dyna'n union fel y digwyddodd, Linda.' Doedd hi erioed wedi clywed cymaint o dynerwch yn ei lais. Ond gwelodd y fflach wawdlyd yn ei lygaid.

'Ac fe fydd gen i swydd, Mam. Dyna beth yw bod yn wraig yntê. Fe fyddaf yn gweithio gyda Cormac yn ei swyddfa. Bydd angen help arno yno hefyd. Mae ganddo ysgrifenyddes ond fe fyddaf i'n... beth fyddaf i, Cormac?'

'Fy ysgrifenyddes bersonol i... personol iawn hefyd.' Roedd rhyw fath o frwydr rhwng y wên ar ei wefusau a'r edrychiad yn y llygaid llwydion.

Edrychodd Cormac o gwmpas y stafell. 'Ydych chi'n gysurus yma, Mrs Groome?'

'Yn byw yn y fflat yma?' Ysgydwodd ei phen. 'Mae'r sŵn yn y nos yn fy mhoeni'n arw. Pobol ifanc sy'n byw uwchben. Mae ffrindiau yn dod atynt, ac maent yn cael partïon yn aml.

Ond os byddaf rywdro angen help, dim ond galw ac maent i lawr ar unwaith. Maent yn eithriadol o garedig. Ond mae'r bwlch rhwng y ddwy genhedlaeth yn amlwg iawn. Ond dyma fy nghartre bellach. Mae'n debyg y dof yn gyfarwydd â'r lle cyn hir.'

'Rwy'n berchen tŷ yn y wlad, rhyw ddeng millir ar hugain o Lundain.'

'O, y cyfeiriad a roesoch i Linda?'

Nodiodd Cormac.

'Mae yna fwthyn ar y tir sy'n wag ar hyn o bryd. Mae wedi ei ddodrefnu, wrth reswm, ac mae angen rhywun i fyw ynddo i'w gadw'n gynnes a sych. Beth am i chi ddod i fyw ynddo, Mrs Groome?'

Daeth dagrau i'w llygaid a chrynodd ei dwylo. Gafaelodd Linda ynddynt a'i chysuro.

Er mwyn yr union hapusrwydd yma y bodlonodd dderbyn y 'swydd' a gynigiodd Cormac Daly iddi; y 'fargen' oedd yn cynnwys bod yn wraig iddo. O weld llawenydd ei mam, gwyddai bellach nad oedd aberthu ei rhyddid wrth briodi dyn nad oedd yn ei charu yn weithred ofer.

'Rwyf wedi bod yn poeni ynghylch eich mam wrth feddwl am ei thlodi a'i hanallu. Pam y dwedsoch gelwydd wrtha i?'

Croesi Llundain i fynd â Linda adre roeddynt. Teimlodd Linda i'r byw wrth ei glywed yn ei chyhuddo o ddweud anwiredd, a theimlai fel rhoi'r fodrwy yn ôl iddo.

'Disgrifio Mam yn union fel y mae, wnes i. Mae ei bysedd yn stiff a phoenus, ac mae'n brin o arian. Beth welsoch chi'r prynhawn yma oedd Mam yn cuddio ei gwendidau i gyd.'

Prin y medrai Cormac gredu.

'Fe'i gwelais y dydd o'r blaen am y tro cynta fel y mae mewn gwirionedd. Am y tro cynta ers colli 'nhad ffoniais i ddim i ddweud fy mod yn dod i'w gweld. Dyna'r pryd y gwelais drwyddi, a'i bod yn cuddio ei phoen a'i thlodi cyn wynebu neb, ac yn gwisgo ei philyn gore hyd yn oed er fy mwyn i.'

'Oedd hi'n sâl?'

'Nag oedd, ond roedd wedi llwyr flino, a'i dwylo mor boenus fel na fedrai wau pwyth.'

Stopiodd Jac Wendon y car o flaen cartre Linda, a mynd i sefyll ar y palmant rhag tarfu ar eu preifatrwydd.

Syllodd Cormac ar yr hen dai mawr oedd wedi eu troi yn fflatiau, a'r olwg dlodaidd oedd arnynt. 'Does ryfedd yn y byd bod merch ifanc hardd fel chi yn dal ar bob cyfle i gael cymaint ag a fedrech o arian er mwyn gwella eich safon byw. Mae'n debyg na chafodd Chapman fawr o drafferth i'ch perswadio i fodelu iddo.'

'Hyd yn oed er fy mod drwy hynny'n torri rheol y cwmni,' oedd ei hateb parod.

Cynhyrfodd ei hateb Cormac, a thalodd y pwyth drwy ddweud ei bod hefyd yn barod i briodi dyn na theimlai'r mymryn lleiaf o serch tuag ato er mwyn gwella ei safon byw a chael pob cysur yn ei gartre.

Doluriodd ei eiriau cas hi. 'Edrychwch yma, Mr Daly, eich syniad chi oedd i ni briodi. Chi roddodd y cyfeiriad am swydd i fi.'

'Ac fe gawsoch swydd.'

'Do, fel ysgrifenyddes. Ond freuddwydiais i ddim am y gwaith o'ch helpu chi fel eich nyrs a gwisgo eich modrwy...' Dechreuodd ei thynnu.

'Dydi hi ddim yn rhy hwyr i chi dynnu'n ôl. Does dim cytundeb wedi ei arwyddo.'

Yn sydyn, peidiodd ei hymdrech i dynnu'r fodrwy. Roedd am ei chadw ar ei bys. Roedd am fod yn wraig iddo. Roedd am fod yn gariad iddo ac yntau iddi hithau.

Sylwodd Cormac â gwên oeraidd ei bod hi'n derbyn y sefyllfa, a'i bod yn rhoi'r fodrwy yn ôl yn ei lle, er ei bod ychydig eiliadau ynghynt yn ymdrechu i'w thynnu.

'Wel mae eich natur hunanol wedi eich trechu unwaith eto.'

'Fedr neb ddweud fy mod i'n hunanol. Fûm i erioed yn hiraethu am feddiannu mwy a mwy o bethau deniadol.'

'Dim ond am sicrwydd a chysur ac arian yn y banc,' danododd Cormac.

'Rwy wedi egluro i chi pam,' daliodd ato er yn ymwybodol o boen yn ei chalon. 'Er mwyn talu fy ffordd i helpu Mam.'

'Ac mae hi, fel y gwelais, yn llawn gwell na'r argraff a

roesoch i fi. Ac nid yw ei hiechyd ddim agos cynddrwg â hynny.'

'Rwy'n dweud unwaith eto ei bod wedi cuddio ei gwendidau i gyd heddiw.' Roedd wedi diflasu ar ei ddull penstiff. 'Pryd wyf i i ddechre ar fy ngwaith?' gofynnodd yn ddifeddwl.

'Rydych wedi dechre eisoes. Fe ofalaf i am y trefniadau i gyd cyn y seremoni. Priodas dawel iawn wyf am iddi fod, os ydych chi'n cytuno?'

'Ydw, yn hollol. Taswn i'n priodi rhywun y byddwn yn ei wir garu, hoffwn i bawb wybod hynny.'

'Am unwaith,' meddai yntau'n sychlyd, 'rŷm ni'n dau yn cyd-weld.'

Bu bron iddi dorri lawr wrth glywed y fath ateb. 'Wnewch chi brynu gwisg gymwys, a'r dillad ychwanegol y bydd eu hangen arnoch fel fy ngwraig?'

'Mae arnaf ofn na...' Cnoiodd Linda ei thafod. Bu bron iddi roi cyfle arall iddo ei phoeni ymhellach.

Gwelodd yntau hynny. 'Arian, yntê, neu ei brinder.' Tynnodd ei lyfr sieciau o'i boced a'i osod ar ei blastar caled a llenwi siec. 'A pheidiwch esgus gwrthod yn ôl eich arfer, a derbyn wedyn gan esgus bach fod yn anfodlon.'

Caeodd ei dwrn gan ddymuno â'i holl galon fedru gwrthod.

'Dyma eich arian chi i ddechre fel fy ngwraig, ychydig bach ymlaen llaw.'

Daliodd i betruso. Gwyddai y byddai'r weithred o estyn llaw i dderbyn y siec yn selio'r cytundeb rhyngddynt.

'Dydw i ddim yn deall beth sy gennych yn erbyn cymryd hyn o arian; doedd gennych chi ddim gwrthwynebiad i mi osod y fodrwy yna ar eich bys, a honno'n costio llawer mwy na'r arian sy ar y siec yna.'

Ni fedrai egluro iddo fod derbyn y fodrwy ddyweddïo'n wahanol iawn i dderbyn arian ganddo. Roedd hynny fel pe bai yn ei gwerthu ei hunan. Ond, meddai ei rheswm, onid dyna'n union roedd hi yn ei wneud.

'Diolch,' meddai'n swrth a chymryd y darn papur. 'Fe brynaf wisg briodas a dillad fydd yn gymwys i'ch gwraig.'

'Gwnewch restr o'r ffrindiau fyddwch am eu gwahodd.'

'Dim ond dwy. Fy mam ac Amanda Ash, merch oedd yn gweithio yn fy ymyl yn y swyddfa.'

'Gofalwch beidio ag ofni gwahodd eich ffrindiau i gyd, er nad cariad yw sail ein priodas.'

'Does yna neb arall; anaml iawn y byddaf yn gweld y rhan fwyaf o fy nheulu.'

'Rwy wedi dweud,' meddai yntau, 'mai priodas dawel yw hi i fod.'

'Da iawn,' oedd ei hateb parod. 'Twyll fyddai priodas fawr.'

'Rwy'n cyd-weld.' Siaradodd yn rhesymol. 'Gwasgwch y corn i alw ar Jac yn ôl.'

Wrth estyn drosodd bu bron â syrthio ar draws ei goes ddrwg. Daliodd yntau hi a'i thynnu at ei ymyl. Cododd ei phen a rhoi cusan hir iddi.

Teimlodd Linda ei hunan yn ymateb. Mewn arswyd ceisiodd reoli ei theimladau cryfion, ond daliodd i dderbyn ei gusanu yn hapus.

Bu raid iddo ei hatgoffa i ganu'r corn a pheidio syrthio ar ei draws o bwrpas.

'O bwrpas? Doeddwn...'

Torrodd ar ei thraws a phwyntio at yr olwyn lywio. Daeth Jac ac agor y drws ac aeth Linda allan.

'Fe ffoniaf,' galwodd Cormac, gan bwyso'n ôl yn hapus â gwên fodlon ar ei wyneb.

Treuliodd Linda ddeuddydd yn prynu ei dillad, a mynd yn hapus i'r siopau gorau a chael dillad da gan wybod fod ganddi ddigon o arian yn ei chyfri banc. Pan aeth i brynu ei gwisg briodas aeth â'i mam gyda hi a chafodd y ddwy siwrnai hapus iawn mewn tacsi i ganol siopau gorau Llundain. Roedd Linda wrth ei bodd yn medru rhoi pleser i'w mam, moethusrwydd na chafodd lawer ohono erioed.

'Dwi erioed wedi dy weld yn edrych mor dlws,' oedd geiriau ei mam pan wisgodd Linda y ffrog roedd wedi ei dewis, a honno wrth lwc, yn ffitio i'r dim.

'Fe fydd Cormac yn dotio dy weld yn honna.'

Digon prin y sylwa arni, meddyliodd Linda.

Ni ddaeth gair oddi wrtho dros y penwythnos. Roedd Linda'n pryderu fod rhywbeth wedi digwydd i wneud iddo newid ei feddwl.

Pan o'r diwedd y daeth galwad ffôn, Mrs Peters oedd yno yn dweud fod Mr Daly eisiau ei gweld.

Fel galwad fusnes yn union, oedd yr argraff ar Linda, yn lle ffonio ei hunan, a rhyw air bach cariadus. Teimlai fel rhoi'r ffôn i lawr gyda chlec. Ond nid ar Mrs Peters oedd y bai.

Cyn gadael cartre roedd Linda wedi ffonio Mandi i drefnu mynd am gwpaned o goffi.

'Feiddia i ddim gadael fy nesg, Linda. Fe gollwn fy swydd. Mae hynny'n un o reolau'r Cwmni.

'Peidiwch â phoeni, Mandi. Fe ofala i na chollwch eich gwaith.'

'Sut y gallwch chi wneud hynny?'

Aeth Linda i stafell orffwys y staff i aros am Mandi.

'Sut yn y byd y llwyddoch i ddod fewn? Mae'n rheol nad yw staff sy wedi gadael ddim i ddod fewn heb ganiatâd y Bòs.'

'Ganddo ef y cefais i wahoddiad. Gredech chi taswn i'n ddweud wrthych fy mod wedi dyweddïo?'

'Erioed, mor sydyn. I bwy te? O Linda, y fodrwy yna!'

'Mae'n hardd on'd yw hi? Gan bwy feddyliwch chi y cefais hi?'

Ddwedodd Mandi yr un gair dim ond syllu ar harddwch y fodrwy. 'Gan Cormac Daly. Byddwn yn priodi ymhen ychydig ddyddiau.'

'Ddwedes i wrthych on'd do, fod eich prydferthwch wedi ei swyno.'

O na byddai hynny'n wir, ochneidiodd Linda wrth ei hunan. 'Ddowch chi i'r briodas, Mandi?'

Nodio wnaeth Mandi, yn rhy syn i ddweud gair.

Rhoddodd Linda hanes y dyweddïo iddi, gan dyneru cryn dipyn ar y ffeithiau, a chuddio'r agwedd o daro bargen.

'Diolch am y gwahoddiad,' meddai Mandi'n llawen. 'Fe af allan yn syth o'm gwaith i fi gael siwt fach dwt. Mae'r cyfan yn swnio mor rhamantus.'

Roedd Beti Peters yn helpu Cormac i'w sedd pan aeth Linda

yno. Tynnodd Mrs Peters wyneb ar Linda yn awgrymu rhybudd, a gwenu'r eiliad nesa ar ei ffordd allan.

'Lle yn y byd ydych chi wedi bod mor hir?' cyfarthodd Cormac. 'Rydech chi yma ers ugain munud.'

'Sut y gwyddech chi hynny?' gofynnodd Linda dipyn o'i cho. 'Ai Meic y porthor sy'n cadw llygad arna i? Mae'n debyg mai fe oedd yn fy ngwylio pan es i dynnu fy llun ac i chi ddod lawr yno.'

'Ufuddhau i mi roedd o.'

'A dyna'n union ydych yn disgwyl i fi ei wneud.'

Culhaodd ei lygaid. 'Rydych yn hollol iawn, 'nghariad i.'

O glywed y geiriau cariadus, er yn gwbwl ddideimlad, daeth hiraeth am wir serch i galon Linda. 'Pam y galwoch fi yma?'

'Lle mae'r dillad newydd y dwedes wrthych am eu prynu? Rydech yn edrych yn union fel pe tasech wedi dod yma am gyfweliad.'

'Rwyf wedi prynu dillad, ond dydw i ddim yn bwriadu eu gwisgo hyd nes y dechreuaf ar y gwaith yr ydych wedi ei drefnu i fi.'

'Bydd y briodas ddydd Gwener,' meddai'n gwta. 'Rwyf wedi trefnu'r brecwast mewn tŷ bwyta yn ymyl fy nghartre, gan mai yno y treuliwn y penwythnos,' a chan bwyntio at ei goes, 'dydw i ddim yn gweld fawr o bwrpas mynd i unman arall.'

'Mae'n well gen i beidio mynd am fis mêl, p'run bynnag. Tasech chi yn fy ngharu i, byddai pethau'n wahanol.'

'Taswn i yn eich caru chi,' meddai mewn llais mwy tyner. 'A yw hynny'n awgrymu eich bod chi'n fy ngharu i?'

Hoffai fod wedi ateb a dweud ei bod.

'Fi yn eich caru chi? Sut y gallwn garu dyn sy'n ymddwyn tuag ataf fel rydych chi?'

'O, rwy wedi bod yn angharedig iawn tuag atoch,' meddai'n watwarus. 'Rwy wedi rhoi modrwy werthfawr i chi, ac arian yn y banc ar eich cyfer. Rwy wedi gofalu am gartre i'ch mam yn ymyl ei merch. Rwy wedi cynnig eich priodi a'r cyfan mae hynny yn ei olygu. O ydw, rwyf wedi ymddwyn yn ffiaidd tuag atoch.'

O am ei glywed o ddifri yn dweud geiriau cariadus a serch

yn llond ei lygaid. Gwyddai fod yr hyn ddwedodd yn hollol gywir. Ond teimlai nad oedd y cyfan yn ddim ond ffordd i wneud iawn iddi am ei gasineb yn ei diswyddo. Nid atebodd Linda ef. Daliodd i edrych arno a sylwi fod golwg flinedig iawn arno fel pe bai'n brwydro â phoen.

Fel pe bai'n deall ei meddwl, dywedodd Cormac ei fod yn gorfod mynd i'r ysbyty yn Llundain drannoeth i gael tynnu'r plastar, a dysgu sut i ymarfer y goes. 'Bydd raid i mi wrth y ffyn o hyd, ond caf wared ag un anghysur mawr.'

Yn llawn cydymdeimlad cynigiodd Linda fynd yno i roi tro amdano.

'Dyna'r peth ola hoffwn i.' Gan bwyso'n ôl yn ei gadair rhedodd ei lygaid trosti.

'Dydw i ddim yn hoffi'r dillad yna, ond dyden nhw ddim yn amharu ar harddwch eich corff. Ysgwn i a ydych yn sylweddoli'r effaith rydych yn ei chael ar ddyn. Ond hwyrach eich bod chi.'

'Gwn beth yw effaith corff benywaidd ar ddyn o safbwynt rhyw,' oedd ei hateb parod.

Chwarddodd Cormac dros y lle. 'Ateb plaen,' meddai. Ond tawelodd y chwerthin yn sydyn. 'Gallaf gasglu oddi wrth yr ateb yna nad ydych mor ddiniwed ag y cymrwch arnoch,' meddai. Ysgydwodd ei phen ond nid atebodd. Gwyddai nad oedd obaith iddi ei berswadio i'w chredu.

Trodd yntau'r sgwrs a rhoi'r manylion am y briodas iddi. 'Byddaf yn trefnu car i ddod â'ch mam yno, ac fe ddaw Jac Wendon i'ch mofyn chi o'r fflat.'

Daeth gwres i'w hwyneb wrth feddwl y byddai'n fuan iawn yn wraig iddo. 'Fe fydd yn wir briodas,' oedd ei eiriau. Sut y medrai ymdopi â hynny pan ddeuai'r amser, gan mai dyfod a wnâi?

Yn ystod y dyddiau canlynol bu Linda'n brysur yn pacio ei dillad a'i phethau. Ni wyddai beth i'w wneud â nhw pan fyddai'n wraig i Cormac, gan y byddai popeth mor wahanol. Ond doedd fawr o wahaniaeth gan fod Cormac wedi awgrymu na fyddai'n briodas barhaus.

Roedd Cormac wedi anfon at Mrs Groome i ddweud fod

y bwthyn bron yn barod, ac y gallai symud i fewn yn fuan. Canmolai ei mam garedigrwydd Cormac, ond gwyddai Linda fod Cormac yn hael gyda'i arian am fod ganddo ddigonedd, ond gyda'i deimladau a'i serch, cybydd ydoedd.

Pan oeddynt o'r diwedd yn gyrru am ei chartref newydd, teimlodd Linda dyndra poenus yn ei chorff ar ôl y straen. Ond roedd Cormac wedi bod yn garedig wrthi, ac wedi ei helpu drwy'r cyfan fel priodfab ffyddlon, ond heb unrhyw arwydd o serch tuag ati, er iddo roi ei fraich dros ei hysgwydd a tharo cusan ar ei boch wrth ei chyflwyno i'w ffrindiau.

Roedd Mandi wedi mynnu cyfle i ddweud wrthi ei bod wedi cwrdd â bachgen smart oedd yn gefnder i Cormac a'i fod yn bwriadu dod i'w gweld.

Roedd Cormac yn fawr ei ofal am Mrs Groome, ac wedi trefnu car i'w chludo yn ôl i'w chartref. Bu'n rhaid i Jac Wendon yrru'n araf gan fod coes ddrwg Cormac yn wan ac yn boenus ar ôl tynnu'r plastar. Cydymdeimlai Linda ag ef fel pe bai mewn poen ei hunan.

Taflent gip ar ei gilydd yn awr ac yn y man. Tase fe ond yn dweud rhywbeth, meddyliodd Linda, a rhoi cyfle i fi gydio yn ei law a datgelu fy nheimladau tuag ato, a dweud mor hapus ydwyf er mor sigledig yw sail ein priodas.

Daliai ef i edrych allan drwy'r ffenest. Byddai'n rhyddhad i Linda tase fe ddim ond yn siarad am y tywydd hyd yn oed. Roedd yn falch pan drodd y car am y tŷ. Byddai'n haws diodde'r mudandod mewn stafell eang. Sawl priodferch, meddyliai'n ddiflas, oedd wedi edrych ymlaen at fynd o gwmni'r dyn roedd hi newydd ei briodi?

Agorodd Cormac ddrws y tŷ a gadael i Linda fynd i mewn yn gynta. Arhosodd hithau yn y neuadd yn teimlo fel dieithryn. Yn siŵr ddigon, dyna ydoedd. Teimlai fod Cormac yn annheg iawn yn ymddwyn fel hynny yn syth ar ôl eu priodas. O'r gore, meddyliodd, mae'n rhaid i fi dderbyn ei fod wedi fy mhriodi i ofalu amdano yn ei anffawd. Ond o leiaf, fyddai gwenu ddim yn ormod iddo.

Gwnaeth arwydd iddi fynd o'i flaen i'r stafell, un na fu ynddi o'r blaen. Teimlai y cymerai wythnosau iddi dderbyn

y lle fel ei chartref. Roedd mor eang a moethus, y llenni hardd
a'r carpedi trwchus yn cyfateb i'r dim. Roedd blodau wedi
eu trefnu'n gelfydd yno, a llond dysgl hardd o ffrwythau ar
fwrdd ar y naill ochor.

'Mae Mrs Wendon wedi paratoi pryd oer i ni,' meddai
Cormac wrth dynnu ei gôt. 'Rwyf wedi dweud wrthi na fydd
ei hangen yma am ddiwrnod neu ddau.'

'Dydw i ddim awydd bwyd,' meddai Linda. 'Yw fy
mhethau i wedi cyrraedd?'

'O ydynt. Mae eich dillad yn y llofft, a'r pethau eraill mewn
ystafell yn y cefn.'

Gosododd ei ffyn o'r naill ochor a sythu ei goesau ar y soffa.
Roedd yn haws ganddo symud yn awr, a gallai blygu peth
ar ei goes, ond ni fedrai roi dim pwysau arni, gan ei bod yn
dal yn boenus. Yn reddfol aeth Linda i eistedd wrth ei ymyl.
Roedd ei lygaid ynghau.

'Oes yna rywbeth gallaf i ei estyn i chi, tabledi lladd poen
neu ddiod?'

'Diod, a dim tabledi. Rwy wedi syrffedu ar y pethe. Ond
mae'n debyg y bydd yn rhaid i mi eu cael heno.'

Ni chymerodd Linda arni ei bod yn deall at beth roedd yn
cyfeirio. Gobeithiai nad oedd yn disgwyl iddi hi sôn am hynny
a'i gymell i'w charu.

'Diod?' gofynnodd.

'Wisgi pur. Fel rwy'n teimlo nawr mae ei angen arnaf, yr
un cryfaf o'r Alban.'

Ni wnaeth hi sylw ei fod wedi sôn am ei hwyliau, a chan
anghofio ei theimladau ei hunan, estynnodd y ddiod iddo.
Aeth i lawr ar un llwnc.

Sylwodd Linda ei fod yn edrych arni wrth iddi osod y
gwydryn a'r ddiod yn ôl yn eu lle. Aeth i eistedd yn ei ymyl.

'A anghofiais i,' meddai'n dawel, 'ddweud wrthych eich bod
yn hardd?'

Cynhyrfodd Linda, ac ni fedrai ei rheswm cryfaf dawelu
ei theimladau, ond llwyddodd i ateb yn dawel a dweud ei fod
wedi anghofio. 'Ond peidiwch â phoeni.'

'Dydy hynny'n ddim trwbwl,' meddai Cormac, 'math o gildwrn ydyw, rhan o'r gwaith rydych yn ei wneud fel fy ngwraig.'

'Cymhelliad hwyrach, i wneud gwell gwaith y tro nesa,' meddai hithau gan ddal ato.

'A dyna fel mae priodas ddigariad i'w chynnal, rhyw fath o dâl mewn geiriau.'

Chwarddodd Cormac gan amlygu teimladau cryfion oedd wedi eu caethiwo gan ei anallu.

Hiraethai Linda am fod yn ei freichiau a'r ddau'n caru ei gilydd.

Syllodd Cormac arni'n fanwl a tharo llaw dros ei bron. Camodd Linda i ffwrdd oddi wrtho.

Digiodd yntau a galw arni'n ôl. 'Gwyddoch na fedraf symud yn rhwydd.'

Safodd hithau ar ei thraed yn ddigon pell oddi wrtho. 'Fe hoffwn fynd i newid. Lle mae fy ystafell?'

'Peidiwch â bod mor ffurfiol. Yr ydych yn wraig i mi.'

Disgwyl iddo ateb wnaeth hi, a gofyn a oedd yn dal i gysgu lawr staer.

'Byddwn yn cysgu yn y llofft. Mae yna ystafell arall yn ymyl a stafell molchi yn perthyn iddi.'

'Ydych chi'n llwyddo i ddringo'r grisiau?'

'Ydwyf ond gyda chryn ymdrech.'

'Lle mae fy... ein hystafell?'

Eglurodd iddi. Daeth cryndod drosti pan gyrhaeddodd y neuadd. Gwyddai ei fod wedi syllu arni drwy'r amser. Dydd ein priodas, meddyliai, wrth ddringo'r grisiau. Dylem fod yn hapus a llon. Beth yn y byd wyf wedi ei wneud i achosi iddo ymddwyn fel hyn tuag ataf.

Synnodd at harddwch yr ystafell; digon o gypyrddau dillad a sawl drych a charped trwchus o liw glas golau. Helpodd hyn hi i ymdawelu. Brysiodd i'r brif ystafell a dod â'i bag i'w stafell hi.

Ar ôl cawod frysiog gwisgodd ffrog dlws. Dychwelodd y cyffro a deimlodd ynghynt, ac ymresymodd a dweud fod Cormac yn ŵr iddi nawr, a hyd yn oed os na fyddai am byth, penderfynodd wneud y gore o'r newid yn ei bywyd. Agorodd ddrws y stafell fyw a gweld Cormac yn yr union fan. Syllodd arni a newidiodd ei wedd, ond y cyfan a ddwedodd oedd ei fod yn edmygu ei dewis o ddillad. Gwenodd hithau'n ôl a gofyn a hoffai iddi baratoi'r pryd bwyd.

Edrychai fel pe bai'n meddwl dros y peth, ond ar yr un pryd yn rhedeg ei lygaid dros ei chorff.

'O, ie, bydd hynny'n iawn,' atebodd o'r diwedd, gyda chysgod gwên.

'Fyddwch chi cystal â dweud wrthyf ble mae'r ystafell fwyta?' Hanner cododd ei fraich i'r cyfeiriad. 'Y stafell agosa at hon. Peidiwch â thrafferthu bod yn ffurfiol iawn.'

'Rwy'n teimlo fel ei luchio atoch. Unwaith yn rhagor clywodd ei chwerthiniad, yn wawdlyd y tro yma.

Roedd Mrs Wendon wedi paratoi'r pryd bwyd yn ofalus iawn, a hyd yn oed wedi mesur y coffi, ac aeth Linda ymlaen â'r gwaith. Gwelodd fod y bwrdd wedi ei osod yn drefnus. Aeth yn ôl i'r stafell fyw a gweld fod Cormac yn pwyso'n ôl a'i lygaid ynghau a'i dalcen yn crychu.

'Ydych chi mewn poen?' gofynnodd yn bryderus.

Agorodd yntau ei lygaid mewn syndod. 'Ydw'n wir. Ond dylwn fod wedi cyfarwyddo â hynny bellach. Dowch i fy helpu.'

Syllodd arni'n dod tuag ato a gafael yn ei llaw. 'Estynnwch y llaw arall hefyd.'

Â'i holl nerth llwyddodd i'w godi. Estynnodd ei ffyn iddo. Rhegodd y pethau a'i dilyn i'r stafell fwyta. Edrychodd ar y bwrdd lle'r oedd Mrs Wendon wedi bod yn fanwl dros ben yn ei osod.

'Yr ydych wedi gwneud gormod lawer o ffys i osod y bwrdd a finne wedi dweud wrthych am beidio.'

'Roedd y bwrdd wedi ei osod yn barod. Rhaid fod Mrs Wendon yn meddwl fod gennym achos i ddathlu.'

Rhythodd arni. Cofiodd Linda am olwg debyg o ben arall y swyddfa pan welodd ef am y tro cynta.

'Hwyrach fod gen i achos i ddathlu, wedi cael gwraig dawel ac ufudd sy'n barod bob amser i wneud beth wyf yn geisio ganddi.'

Nid oedd ganddi air o ateb i'r fath sarhad.

'Ydych chi eisiau fy help i eistedd,' meddai gan lwyddo i beidio dangos y dolurio yn ei hwyneb.

'Oes.'

Aeth ato ac estyn ei ffyn iddo a'i helpu i eistedd. Nodiodd ei ddiolch.

'Gobeithio bydd y bwyd mae Mrs Wendon wedi ei baratoi wrth eich bodd,' meddai wedyn, a mynd i eistedd wrth ben arall y bwrdd.

'Er mwyn Duw, dowch ychydig yn nes at y pen yma. Does dim gobaith i mi siarad â chi fyny fan yna.'

'Ar y ffôn,' meddai, a'r syniad doniol yn codi chwerthin arni. 'Neu hwyrach daflu nodiadau bach at ein gilydd.

'Mae'n debyg yr hoffech daflu rhywbeth caletach na nodyn ataf.'

Taflodd Linda gipolwg arno a daliodd edrychiad gwahanol i'r arfer ar ei wyneb. Carlamodd ei chalon. Anadlodd yn drwm o beraroglau'r blodau a gwynt y bwyd.

'A gaf i eich helpu?' meddai dan wenu, gan gyfeirio at y dysglau bwyd.

'Fe ddof i ben â hynny fy hunan, fy mhriodferch garedig,' meddai'n wawdlyd, nes gwneud iddi wrido o glywed yr anwyldeb. Ond diflannodd y wên pan ychwanegodd nad ocdd angen ei fwydo gan mai ei goes ac nid ei fraich oedd wedi ei hanafu.

'Meddwl y byddai'n well i mi ofyn,' meddai'n sydyn gan hanner gwthio ei chadair yn ôl a dweud ei bod yn meddwl o ddifri yr hoffai ef iddi godi'r bwyd iddo. Teimlodd ei dagrau'n cronni ac aeth tua'r drws.

'Dowch yn ôl,' galwodd Cormac, gan hanner troi yn ei sedd.

'Does arna i ddim eisiau bwyd, nac archwaeth ato chwaith.'

Rhedodd i fyny i'r llofft fach a disgyn ar ei hyd ar y gwely a lapio'r cwilt amdani gan benderfynu na châi ef ei choncro. Cadwodd ei dagrau'n ôl. Gwyddai beth oedd yn ei haros pan addawodd ei briodi, ond ar yr un pryd ni ddisgwyliai gymaint o newid er gwaeth. Rwy'n dal i edrych arno fel fy nghyflogwr. Arswydodd. Ond fy ngŵr ydyw. Sut yn y byd y medrir pontio'r fath agendor?

Pennod 5

Arhosodd yn y stafell wisgo am ychydig cyn mynd i ddad-bacio un o'i bagiau. O dipyn i beth aeth i'r brif stafell. Rhyfeddodd at y gwely mawr a'r drysau oedd hefyd yn ddrych, oedd ar y cypyrddau. Roedd yno soffa esmwyth yn llawn clustogau. Ar fwrdd bychan crwn roedd tusw o flodau wedi ei osod. Wrth ei ymyl roedd llun dynes.

Roedd yn gorffwys ar soffa, yr union soffa oedd yn yr ystafell. Roedd ei gwallt melyn yn cyd-fynd i'r dim â'r clustdlysau aur. Edrychai'n slei ar y sawl oedd yn tynnu ei llun a'r edrychiad yn awgrymu rhywbeth cudd a chnawdol. Darlun o berson arwynebol ydoedd.

Sylweddolodd Linda na fedrai lercian yn y llofft tan nos ac aeth yn dawel i ben y grisiau. A oedd Cormac wedi bod yn cyd-fyw gyda'r ddynes yna? A oedd hi wedi bod yn rhannu ei wely? A ble roedd hi ar hyn o bryd?

Roedd Cormac yn dal i eistedd wrth y bwrdd, wedi gorffen y cwrs cynta. Edrychodd yn fanwl ar ei hwyneb. Os oedd yn disgwyl gweld ôl dagrau, edrych yn ofer a wnâi. Nid wylo oddi allan a wnaeth, ond yn nyfnder ei phersonoliaeth. Penderfynodd na ddangosai iddo faint ei loes.

'O, felly, a dydych chi ddim wedi rhedeg i ffwrdd a'm gadael,' meddai'n wawdlyd wrth iddi eistedd wrth y bwrdd. 'Meddyliais y byddwn yn y cwrt ysgariad cyn i fi gael cyfle i fynd â chi i 'ngwely i garu y noson gynta.'

Penderfynodd Linda ymddwyn yn gwbwl ddidaro. Dechreuodd fwyta. 'Fe'ch priodais chi er mwyn eich helpu ym mhob ffordd bosib, ac fe wnaf hynny. Fe wnaf bopeth ond cysgu gyda chi.'

Nid ymatebodd Cormac mewn unrhyw ffordd, dim ond syllu arni. Wedi iddynt orffen eu bwyd, cododd Linda a dechrau casglu'r llestri. Dywedodd Cormac fod yno beiriant golchi llestri. 'Fe sylwais,' meddai Linda, a hwylio i fynd â'r llestri i'r gegin. Cafodd Cormac gyfle i afael yn ei braich a gwasgu ei garddwrn. 'Nid i fod yn damaid o forwyn fach y priodais i chi,' meddai'n gynddeiriog.

Cuddiodd hithau ei phoen a dweud ei bod yn meddwl ei bod yn ymddwyn fel gwraig dda iawn.

'Dwedais wrthych am adael y gwatwar i fi.'

'Do fe? Wel dyna'r unig ffordd sy gennyf i ddal atoch chi,' meddai hithau, bellach wedi gwylltio'n lân.

'Fe ddangosa i'r ffordd i chi.' Tynnodd hi yn sydyn ar ei lin. Cafodd Linda ei hunan wedi ei gwasgu'n gaeth rhwng ymyl y bwrdd a'i gorff caled ef. Ofnai symud. Pe gwnâi, gwyddai y byddai'n dolurio naill ai hi ei hunan neu ei goes ef.

'Gollyngwch fi, Cormac.' Ni chymerodd ef y sylw lleiaf o'i hymbil.

Ag un llaw daliodd ei phen, a'r llall fôn ei braich 'Nawr dyna gyfle i chi dalu'n ôl i fi.' Plygodd ei ben i'w chusanu'n awchus ar ei gwefusau.

Dywedai ei hunan-barch wrthi am ei wrthod, ac nad ocdd ef o ddifri, mai ei defnyddio yn unig yr oedd. Ond ni wrandawodd Linda.

Roedd ei enau'n galed ar ei gwefusau tyner hi. Peidiodd y llaw oedd ar ei ysgwydd â gwthio yn ei erbyn. Plygodd yn ôl wrth brofi'r gwres oedd yn meddiannu ei gwefusau.

Gwthiodd yntau ei law i afael yn dyner yn ei bron. Ymdawelodd hithau o deimlo ei dynerwch. Cododd ei llaw a thynnu ei bysedd yn gariadus drwy ei wallt.

O'r diwedd llaciodd ei afael, a phwysodd hithau ei phen ar ci frcst.

'Pam na fyddech yn talu'n ôl i fi?'

Roedd y min wedi diflannu o'i lais, ac roedd ynddo nodyn dieithr a wnaeth i Linda syllu i fyw ei lygaid.

'Fedrwn i ddim, roeddwn i'n ofni. . .' Chwiliai am reswm, 'Roeddwn i'n ofni dolurio eich coes.'

'Rydych yn ei dolurio drwy eistedd arni.' Gosododd ei law ar ei gên. 'Gwn beth ddwedwch, mai fi a'ch gosododd yno. Gallaf ddweud wrthych nawr,' a'i lygaid yn disgleirio fel cloch iâ yn yr haul, 'yr oedd yn werth y boen.'

'Syllodd Linda'n fanwl ar ei wyneb. Gwelodd olion amser a phrofiad yno. Ond hoffai fedru rhwbio allan y llinellau dirmygus oedd wedi ffurfio yno.

'Cydiwch ynof,' cymhellodd. O, fel yr hoffai wneud hynny, ond nid ar ôl y fath driniaeth. Ysgydwodd ei phen ac ymdrechu i godi. Aeth i mofyn y coffi o'r gegin a mynd ag ef i'r lolfa cyn mynd yn ôl at Cormac. Roedd yn edrych yn flin iawn fel anifail caeth yn ysgyrnygu yn ei gaethiwed. Cipiodd y ffyn yn ddiserch a gwrthod help i godi. Aethant i'r ystafell, a helpodd hi ef i'w sedd. Edrychai arno yn llawn cydymdeimlad.

'Rwy wedi cael hen ddigon o weld yr olwg dosturiol yna arnoch. Rwy mewn poen, — wel, dyna fe. Mae'n bryd i chi dderbyn y ffaith. Dyna'r rheswm pam y priodais i chi, — i roi help i mi pan fydd galw, ac nid i syllu'n dosturiol arna i â'r llygaid glas syn yna.'

Gwasgodd Linda ei gwefusau a neidio ar ei thraed i gasglu'r cwpanau. 'Fe af i o'ch ffordd chi os na fedrwch chi ddiodde fy ngweld o gwmpas. Y peth gore yw i fi adael. Byddwch yn falch o gael eich rhyddhau o'r briodas.'

Cuchiodd yntau. 'O'r gore, fy annwyl wraig. Os gwnewch hynny fe gyll eich mam ei chartre newydd. Fe fydd yn rhaid i chi hefyd chwilio am gartre arall, ac ni fydd gennych swydd i fynd iddi. Fe ofala i y byddwch yn hir cyn dod o hyd i un.'

Trawodd Linda'r llestri coffi yn swnllyd ar y bwrdd. 'Rwy wedi cael hen ddigon arnoch. Mae'n drueni i mi ddod yma o gwbwl a derbyn y swydd a gynigioch i mi.'

Rhuthrodd allan drwy ddrws cefn y tŷ i'r ardd. Bu'n cerdded o gwmpas y gwelyau blodau o dan gysgod cang-hennau'r coed. Fe hoffai ddianc o'r tŷ lle roedd y dyn plagus a'i dymer ddrwg yn byw. Eto roedd rhyw deimlad afresymol ganddi tuag ato fyth ers y cip cynta a gafodd arno. Gwyddai erbyn hyn fod gwreiddiau ei serch mor gryf a gallai ddychmygu faint ei phoen pe baent yn gorfod gwahanu.

Aeth yn ôl i'r tŷ ac i fyny'r grisiau. Ni wyddai a fedrai Cormac godi o'r soffa heb help ai peidio. Ar y funud nid oedd am fynd yn agos ato. Ar ôl ei gasineb a'i fygythion, fyddai fawr o wahaniaeth ganddi pe bai'n gorfod cysgu yno drwy'r nos.

Aeth i'w gwely a chau'r drws yn dynn. Noson ei phriodas

ydoedd, ond roedd yn gas ganddi feddwl am fod ym mreichiau Cormac. Roedd rhyw yn beth mor ddieithr iddi.

Dychrynodd pan glywodd sŵn y ffyn baglau y tu allan i'r drws. Roedd Cormac wedi llwyddo i ddod i fyny'r grisiau. Bu'n gwrando gan ddisgwyl clywed y sŵn yn distewi, ac yntau yn ei wely. Yn sydyn agorwyd drws ei stafell a fflachiodd y golau.

'Fy stafell i yw eich stafell chi. Fy ngwely i yw eich gwely chi. Rwyf am i chi ddod yno.'

'Rwyf wedi dweud wrthych y gwnaf bopeth ond...'

'Fe gysgwch gyda fi.'

'Fedrwch chi ddim fy ngorfodi i.'

'Peidiwch â 'nhemtio i, cariad. Gwn fod fy nghoes wedi ei niweidio, ond ym mhopeth arall rwy'n ddyn cyflawn.'

'Ai dyma'r ail agwedd ar gytundeb fy mhriodas? Rwyf wedi llwyddo gyda'r agwedd gynta. Yn wraig tŷ dda. Nawr mae'n rhaid cadw'r ail gytundeb — cyflawni'r ddefod briodasol, a rhoi i chi awdurdod dros fy nghorff. Ar ôl hynny, mae'n debyg, daw awdurdod dros fy meddwl.'

Safodd uwch ei phen fel delw a syllu arni. Tynnodd y cwilt oddi arni a gafael yn ei braich a cheisio ei thynnu o'r gwely. Daliodd Linda ato am dipyn ond ofnai y byddai'n anafu ei goes a rhoddodd ei dwy droed ar y llawr. Rhoddodd yntau ei fraich amdani a'i chofleidio. Teimlodd wres ei gorff yn peri yr un cynnwrf yn ei chorff hithau.

Cusanodd hi'n nwydwyllt. Datododd ci gŵn nos a safodd yn noeth o'i flaen. Gwasgodd hi'n ôl ar y gwely a gorwedd yn ei hymyl a'i glogyn a'i ffyn ar y llawr. Ni bu hi erioed mor agos at unrhyw ddyn.

'Carwch fi,' meddai. 'Dangoswch eich profiad.'

'Does gen i ddim profiad. Mae hyn yn ddieithr i mi. Rhaid i chi fy nysgu.'

'Fe ddangosa i chi, ond gall hynny ddolurio.'

Fe deimlodd hi'r boen, a bu'r cyfan drosodd yn fuan, a Cormac yn gorwedd yn ei hymyl ac o'i go. 'Ddylech chi ddim disgwyl i ddyn yn fy nghyflwr i eich dysgu.' Llwyddodd i gael gafael ar ei ffyn a rhoi clep i'r drws wrth fynd o'r stafell.

Nid oedd Linda'n deall ei gasineb. Syrthiodd i gwsg anesmwyth. 'Linda,' meddai'r llais. Ai breuddwydio oedd hi? Ar y funud ni fedrai ddeall. Galwodd y llais eto yn gofyn am help. Gwisgodd ei gŵn a mynd at Cormac. Roedd yn eistedd ar ochr y gwely wedi hanner gwisgo amdano, un esgid am ei droed a'r llall yn ei law. Ni ddwedodd air wrthi ac nid oedd arlliw o wên ar ei wyneb.

'Ydych chi eisiau help?'

'Faswn i wedi galw taswn i ddim?'

Mewn ymdrech i anwybyddu ei ddull cwta, gwelodd pam y galwodd. Gwisgodd ei esgid iddo. 'Sut oeddech yn dod i ben o'r blaen?'

'Fe ddwedais wrthych, on'd do. Roedd nyrs yma dros nos.'

'A nawr rydych wedi cael gwraig yn lle nyrs. Oedd hi'n cysgu yn fy ngwely i?'

'Roeddwn i'n cysgu lawr staer. P'run bynnag, roedd hi'n ddynes ganol oed.'

Gwenodd Linda a llwyddodd Cormac i roi rhyw hanner gwên.

Gwnaeth arwydd ei fod am godi. Aeth Linda ato i godi ei ffyn ond gafaelodd ynddi a'i gwasgu i'w fynwes. 'Mae eich llygaid yn dal i ddisgleirio ar ôl neithiwr. Fe ddown i nabod ein gilydd yn well bob dydd.'

'I fy nabod i cystal â'r wraig yn y llun yna?'

Diflannodd ei wên a gwelodd Linda ei bod yn well iddi fynd.

Llusgodd y dydd, a Linda heb fawr ddim i'w wneud, dim ond mynd o gwmpas y tŷ ac agor drysau stafelloedd na wyddai amdanynt. Aeth at y ffenest a dyfalu ble 'roedd Cormac. Ar ôl cinio roedd wedi ei gadael yn y gegin.

'Os medrwch yrru car, mae un yn y garej i chi. Ewch o gwmpas i weld y wlad.'

'Beth am i chi ddod gyda fi?'

'Dim diolch; rwy'n rhy gyfarwydd â'r lle.'

Ochneidiodd Linda a mynd i syllu ar y gerddi drwy'r ffenest. Canodd cloch y ffôn. Brysiodd Linda i'w ateb gan feddwl mai ei mam oedd yno.

'Helo, Cormac,' meddai rhyw ddyn.

'Nid Cormac sy yma.'

'Pwy sy yna te? Mrs Wendon?.' Saib, 'Y Mrs Daly newydd?'

'Iawn y trydydd tro.'

'Rodge sy yma, cefnder i Cormac. Cwrddais i chi yn y briodas ddoe.'

'Fuon ni ddim yn siarad â'n gilydd chwaith.'

'I be ddiawl wyt ti'n ffonio yma, Rodge?' meddai Cormac yn sarrug.

'Wedi cipio'r ffôn o law'r wraig, Cormac?' meddai Rodge o ran hwyl.

'Nage; rwy ar y ffôn sy yn y stydi.'

'A dyna lle rydych chi wedi bod,' meddai Linda braidd yn groes.

'Does bosib dy fod yn gweithio heddiw, Cormac. Faswn i'n meddwl fod gennyt ti rywbeth gwell i'w wneud heddiw. Taswn i yn dy le di...'

'Rwy'n casglu nad wyt ti'n meddwl yn uchel iawn am briodas, Rodge,' rhuodd Cormac. 'Pam wyt ti'n ffonio?'

'Dim na all aros. Wyt ti'n fodlon i fi daro fyny i gadw cwmni i dy wraig te?'

'O'r gore. Pan soniais wrthi am fynd am dro yn y car, roedd am i mi fynd i gadw cwmni iddi. Cer di gyda hi gan 'mod i mor brysur.'

Rhoddodd Cormac y ffôn lawr gydag anferth o glec.

'Wel, wel,' meddai Rodge, 'ydech chi'ch dau wedi cweryla? Os felly, gwell i fi gadw draw. Mae'r hen air yn dweud fod y sawl sy'n ceisio gwahanu dau gi ffyrnig, yn siŵr o gnoad.'

'O na, dyden ni ddim wedi cwmpo allan; dyna ddull Cormac. Dyna ei...'

'Rydech chi'n meddwl mai dyna ei natur? Gallaf fentro dweud, Linda, nad yw hynny'n iawn. Y bly... Mae'n ddrwg gen i, Linda. Fe ddof draw yna os hoffech chi.'

'Hoffwn yn wir, os nad yw'n ormod o daith.'

'Rwy'n byw yn Llundain, ond wedi dod i gartre fy rhieni dros y briodas; rhyw ugain milltir o siwrnai. Byddaf yna ymhen hanner awr.'

Brysiodd Linda i'w llofft i dwtio tipyn a newid ei dillad. Sylweddolai mai braidd yn feiddgar oedd hynny, ond os byddai Cormac yn casglu ei bod yn gwisgo'n fwy deniadol nag arfer i gwrdd â'i gefnder, doedd hi'n malio dim.

Brysiodd i lawr a churo ar ddrws stydi Cormac. 'Pam rydych chi mor annymunol tuag ataf?' meddai dros y lle o ben y drws. 'Rwy'n gwneud fy ngore i'ch plesio?'

'Wedi fy mhriodi er mwyn arian,' atebodd yntau'n swta-bendant.

Cyn lleied ydych yn ddeall, meddai wrth ei hunan, a'r tristwch yn casglu. 'Credwch hynny os mynnwch, ond mae'n rhaid i chi gyfadde eich bod yn cael gwerth eich arian. Rwyf yn eich ymyl bob amser mae angen help.'

'O, ydych, mae'n siŵr ddigon,' meddai yntau.

Trodd ac edrych yn chwantus arni a rhedeg ei lygaid trosti. 'Tyrd yma, 'nghariad i.' Roedd dirmyg hyd yn oed yn ei anwyldeb. Ond ni fedrai Linda wrthod ei gais.

Onid oedd hi'n awyddus i gyffwrdd â'r dyn fu yn ei charu y noson cynt, ac yn hiraethu am iddo ail-gynnau'r fflam â'i gusanu nwydus.

Pan safodd wrth ei ymyl syllodd i ddyfnder ei lygaid llwydion. Rhaid ei fod wedi ei swyno a chwalu pob rhwystr oedd ynddi. Cafodd ei hunan yn anwylo ei ben.

Y funud honno tynnodd hi ar ei lin, a'i freichiau cryfion yn ei gwasgu'n dynn. Roedd yn tywallt cusanau arni fel pe bai'n ei sugno'n gyfan gwbwl iddo'i hun, fel na fyddai dim ohoni i neb arall a geisiai ei denu.

Pan gododd ei ben roedd ei law yn gafael yn ei bron. Gafaelodd yn dynnach. Syllodd yn eiddgar ar ei hwyneb a'i gwefusau llawn deniadol.

'Rydych wedi ymbincio i'r eithaf i gwrdd fy nghefnder, ac yn malio mo'r dam amdanaf i.' Syllu arno yn unig fedrai Linda gan y chwant poenus roedd ef wedi ei gynhyrfu. Ond yn sydyn ddigon, roedd y cyfan drosodd, a chafodd ei gwthio o'i lin.

'Tasech chi wedi aros gyda fi yn lle cuddio fan hyn hwyrach y byddai pethau'n wahanol.'

'Mae gennych gwmni bach yn dod i'ch gweld. Fe fydd

yma'n fuan. Go brin y mae ef yn gallu gwrthsefyll merch ddeniadol. Ond os meiddia gam-ymddwyn, fe ddangosaf y drws iddo ar unwaith.'

'Ydych chi'n meddwl o ddifri mai dyna'r math o ferch ydw i?'

'Gwn pam y priodsoch fi; a chan nad oes gennyf ond hynny o wybodaeth, mae gennyf reswm i gredu mai'r math hynny ydech chi.'

'Rydech ymhell o wybod pam i mi eich priodi,' meddai Linda wrth fynd tua'r drws.

Â gwên sarhaus, 'Am eich bod yn fy ngharu,' meddai Cormac. 'Dwedwch hynny wrth y coed.' Aeth yn ôl at ei waith.

Dyn pryd golau oedd Rodge gyda wyneb llon. Sylwodd yn foddhaus ar Linda, ond yn gwbl foneddigaidd.

'Mae chwaeth Cormac wedi newid yn fawr,' meddai. 'Cryn dipyn o welliant hefyd, yn fwy tebyg i fy newis i. Dydech chi ddim yn awydd newid, — fi yn ei le fe,' gan nodio i gyfeiriad y stydi.

'Mor fuan â hyn,' meddai Linda'n hwyliog. 'Dydem ni ddim wedi cael cyfle eto i brofi beth yw bywyd priodasol. Gofynnwch i fi eto ymhen rhyw dri mis.'

Daeth sŵn traed o'r stydi. Gwenodd Rodge a chodi ei lais. 'Mae'n rhaid fod rhywbeth o'i le ar fy nghefnder. Taswn i wedi eich priodi chi ddoe, byddech yn y gwely gyda fi heddiw.'

Daeth bloedd o'r drws hanner agored. 'Rodge, dos i chwilio am wraig i ti dy hunan. Fy ngwraig i yw honna rwyt ti'n baldorddi wrthi, wyt ti'n deall?'

'O'r gore, fy nghefnder hoff,' meddai Rodge â gwen lydan.

Aeth Linda a Rodge i'r gegin i hwylio cwpaned o de. 'Rhaid i mi fynd i ofyn i Cormac a yw am gwpaned.'

Cododd Cormac ei olwg yn sydyn wrth i Linda gerdded i'w stydi. 'Beth ydych chi eisiau?'

'Rwy'n gwneud te i fi a Rodge. Dowch atom i gael cwpaned.'

'Cysurus iawn eich dau. Fuoch chi fawr o dro yn dod i ddeall eich gilydd.'

'Dydech chi ddim wedi gwneud unrhyw gais i fy neall i.'

'Ac mae ef wedi llwyddo. Ddo i ddim i'r gegin, ond fe hoffwn gael te.'

Aeth Linda â'r te i'r stydi ac aeth Rodge i'w chanlyn at ben y drws. Ni ddywedodd Cormac air.

Aeth y ddau i'r stafell eistedd. 'Rwy'n gofyn eto Linda beth wnaeth i chi briodi Cormac.'

'Gredech chi taswn i'n dweud i mi ei briodi am fy mod yn ei garu?'

'Na wnawn ar ôl gweld ei ymddygiad, a hynny trannoeth eich priodas.'

'Gall merched weini ar y dyn maent yn garu.'

'A gall dynion ymddwyn yn foneddigaidd at y ferch a garant.'

'Fedra i ddim peidio â'i garu.'

'Dydy e ddim yn gwerthfawrogi eich cariad chi.'

Roedd Linda yn disgwyl yn eiddgar y byddai ei gefnder yn egluro'r helynt fu ym mywyd Cormac. 'Beth am y ddynes yn y llun sy gan Cormac yn ymyl ei wely.'

'Mae'n siŵr eich bod yn gwybod hanes Yolande.'

'Na, dydw i'n gwybod dim. Ddylwn i, Rodge? Rydech chi'n perthyn yn agos i Cormac, fedrwch chi roi'r hanes i mi?'

Cuchiodd Rodge. 'Roeddynt wedi trefnu i briodi; wyddech chi ddim?'

Pennod 6

Teimlodd Linda i'r byw, a sisial ei bod hi'n hollol wahanol i'r ddynes yn y llun.

'Fe ddwedes wrthych fod dewis Cormac wedi newid er gwell.'

Os dynes fel Yolande oedd y teip addas i swyno a chyd-fyw gyda Cormac, gwelodd Linda nad oedd dim wnâi iddo newid a gweld gwerth merch o'i theip hi, ac na fedrai e fyth ei charu. Dylwn fod wedi deall hynny, meddyliodd yn drist. 'Beth aeth o'i le? Dywedodd wrthyf ei fod wedi cael anaf wrth fynd i helpu dynes oedd wedi cael damwain wrth sgïo. Mae'n debyg nawr mai ei ddarpar wraig oedd honno, ac mai taro yn erbyn ei chariad newydd wnaeth Cormac, a thorri ei goes. Rwy'n dechre deall pam roedd Cormac mor awyddus i briodi wedyn — cael cwmni arall a chodi cenfigen ar Yolande?'

'Fydd honno ddim yn ddig; mae'n byw gyda'r dyn arall nawr,' meddai Rodge.

Cododd Rodge a cherdded o gwmpas. 'Tystiodd Cormac ar ôl yr helynt y byddai'n rhoi uffern o brofiad i ddynes arall.' Safodd Rodge yn wynebu Linda. 'O edrych arnoch, mae'r dyn yna'n ffŵl gwirion. Llygaid all doddi afon o iâ, a gwefusau sy'n cymell cusanu, a thrwyn sy'n rhuo rhybudd. Fedrai'r un dyn ddisgwyl gwell.'

'Paid â chyffwrdd yn fy ngwraig, Rodge, neu fe fydd yn edifar gennyt.' Roedd Cormac yn aros yn y drws a llygaid y ddau gefnder yn fflachio.

'Dwyt ti ddim yn gweld gwerth y ferch sy gennyt.'

'Dywed pam y gelwaist ti yma Rodge, a dos allan o' fy nghartref.'

'Popeth yn iawn. Dy wraig di yw Linda. Ysgwn i a wyt yn gwybod mor lwcus wyt ti? A gyda llaw, mae Linda newydd ddweud wrthyf ei bod wedi dy briodi o gariad tuag atat.' Aeth allan dan godi ei law mewn saliwt wawdlyd.

'Doedd dim raid i chi,' meddai Cormac mewn goslef fel iâ, 'geisio cyfiawnhau ein priodas drwy gymryd arnoch eich bod yn fy ngharu. Fe dderbynion ein dau hynny fel trefniant ymarferol. Peidiwch â cheisio lliwio ein perthynas â ffug deimlad.'

'Felly,' meddai Linda, 'byddai'n well i mi ddweud wrth bawb fy mod yn eich casáu.'

'Byddwch yn onest,' meddai'n wawdlyd, 'ac yn ddigon dewr i ddweud y gwir wrthynt.'

Daliodd Linda ato a dweud ei bod yn dechre deall pethau, yn enwedig ei gasineb.

'Nid yw eich teimlad tuag ataf o ddim pwys yn y byd i mi,' oedd ateb swrth Cormac.

Roedd Linda yn barod i'w rhegi ei hunan am fynegi ei theimladau. Brysiodd heibio i Cormac wedi arswydo wrth ei weld mor gas a phenstiff. Teimlai bron â thorri ei chalon, a mynd i rywle i wylo yn ei siom. Roedd wedi gwneud peth ffôl wrth briodi dyn mor ddidostur.

Estynnodd yntau ei fraich ar amrantiad a gafael yn ei hysgwydd a'i thynnu'n ôl tuag ato. 'Rwyf angen eich help gyda'm gwaith. Mae yna bapurau i'w trefnu yn y stydi.'

Tynnodd ei hwyneb tuag ato â'i law yn anwesu ei gwddf. Cusanodd hi yn wyllt nes bron â'i mygu. Teimlodd ei hunan yn ymateb i'w gyffyrddiad. Cododd yntau ei ben a gwenu, gan ei gwylio yn ofalus.

'Beth ydych chi'n wneud?' gofynnodd Linda gan ei herio. 'Rhoi i mi yr uffern honno y tystioch y byddech yn ei rhoi i'r ddynes nesaf yn eich bywyd?'

'Pwy fu'n cario'r stori fach yna i chi? Rodge? Rown i'n amau.'

'Ydi'r stori'n wir,' mynnodd hithau gan fawr obeithio ei glywed yn gwadu. 'A ddwedsoch chi hynny?' Cododd ei rythu oeraidd gryndod arni. 'Ai dyna pam roeddech chi mor annymunol wrthyf neithiwr pan oeddem yn caru?' mynnodd Linda gan mor awyddus ydoedd i gael ei ateb. 'Ai hynny hefyd wnaeth i chi ddweud nad oedd fy nheimladau atoch yn cyfri dim i chi?'

Symudodd ei ên, ond ni ddywedodd air.

'O'r gore, mae'n debyg na rowch ateb i fi. Ond carwn wybod rhywbeth arall. Pam dewis bwrw eich dial arnaf i?'

Yr unig sylw dalodd iddi oedd siarad fel peiriant a dweud wrthi am ddod i'r stydi.

Trannoeth soniodd Cormac wrth Linda am y swydd roedd yn bwriadu ei rhoi iddi yn y swyddfa yn Llundain. 'Bydd desg i chi yn fy swyddfa i, ac fe fyddwch yn cysylltu â phobol mewn llawer gwlad.'

'Mae'n swnio fel swydd gyfrifol,' meddai Linda'n bryderus.

'Fe ddowch i ben yn iawn. Fe fedra i eich helpu ar y dechre. Mae'r cyfan yn rhan o'r cytundeb a wnaethom. Fe fydd cyflog da gyda'r swydd.'

'Rydych yn rhoi lwfans i mi nawr.'

'Mae'r cyflog yn ychwanegol. Er mwyn hynny y priodsoch fi ynte... arian?'

Ymhen tipyn gofynnodd Cormac iddi a hoffai fynd i weld y bwthyn y byddai ei mam yn byw ynddo.

'O, hoffwn yn fawr.'

'Helpwch fi, Linda,' meddai mewn llais tawel, a'i lygaid a'i wefusau'n gwenu.

Estynnodd ei breichiau, ond yn lle gafael ynddynt, tynnodd hi i lawr i orwedd ar y soffa. 'Beth am eich coes?' holodd hithau'n bryderus.

'Dwi'n malio dim,' mwmblodd wrth ddechrau ei chusanu.

Fe'i trodd tuag ato nes eu bod yn gorwedd ochr yn ochr ar y soffa. Roedd Linda'n ymateb yn llwyr i'w agosrwydd ac yn ofni iddo ei gollwng.

Ond yn sydyn, dyna a wnaeth, a chododd hithau ar ei thraed.

'Beth sy'n bod? Ai newydd gofio mai nid Yolande yw fy enw, neu ai dyma eich dull o roi'r uffern honno i mi, a gwneud i mi weiddi am drugaredd?'

'Y naill na'r llall,' atebodd a gafael yn ei ffyn. 'Y tro nesaf y byddaf yn eich caru nid rhyw sgarmes yn y stafell yma a fydd a'r cyfan trosodd mewn chydig funudau. Nid wyf am eich gweld yn dewis cwmni dynion eraill pan nad yw eich gŵr yn rhoi'r boddhad i chi. Felly, fe arhoswn ni.'

Estynnodd ei law a gadael iddi, y tro yma, ei helpu. 'Dowch i ni fynd i weld bwthyn eich mam.'

Gwelodd Linda fod y bwthyn yn eithriadol o gyfforddus, a hyd yn oed wres canolog wedi ei osod yno. Roedd yno ddwy ystafell wely a gwely wedi ei baratoi'n barod. Nid oedd Cormac wedi arbed dim ar y costau, ond gosod yno bopeth o'r radd orau.

Ar waelod y staer roedd Cormac yn aros amdani. 'Ydech chi'n falch nawr eich bod wedi eich aberthu eich hunan i fi ar ôl gweld beth wyf wedi ei roi i'ch mam?' meddai mewn tôn wawdlyd.

Roedd Linda mor fodlon ar yr hyn roedd Cormac wedi ei baratoi i'w mam fel na chymerodd sylw o'i eiriau. 'Fe fydd fy mam yn hapus iawn yma. Mae'n gartre bach hyfryd. Rwy'n ddiolchgar iawn i chi Cormac am yr hyn rydych wedi ei wneud ar gyfer fy mam. Mae wedi costio cryn dipyn i chi.'

'Nid wyf yn brin o arian, fel y gwyddoch wrth fel yr wyf yn eich trafod chi. Am ba reswm arall, os nad arian, y priodsoch fi?'

Edrychodd arno'n eiddgar ac ymhyfrydu, ar waethaf popeth, yn yr wyneb cadarn a'i chariad tuag ato.

Bu Cormac yn brysur yn ei stydi drwy'r dydd. Blinodd Linda ddisgwyl amdano ac aeth i'w gwely yn y stafell fach. Bu Cormac yn hir cyn dod i'w wely a Linda'n dal ar ddi-hun. Llonnodd pan glywodd ef yn dod gan obeithio y byddai'n galw arni. Diflannodd ei gobaith am gwsg pan ddeallodd ei fod wedi mynd i'w wely heb ddweud gair wrthi. Ymhen amser trawodd ei chlogyn drosti i fynd lawr i'r gegin i gael diod boeth. Llwyddodd i fynd drwy'r drws heb smic. Rhoddodd gip cynnil i stafell Cormac. Gwelodd ei fod ar ddi-hun, yn noeth o'i ganol fyny ac yn ei gwylio. Trodd y golau ymlaen a gofyn ble'r oedd hi'n mynd.

''I... i gael diod boeth.' Daliodd i syllu arno. 'Rwy'n methu cysgu, felly...'

'Finnau hefyd; rwy'n methu deall pam. Dowch Linda, 'nghariad i, dowch i ni helpu ein gilydd.'

'Na... na dim diolch, rwyf...' Bu bron iddi gyrraedd y drws.

'Linda!' Gwaeddodd yn chwyrn, 'Dowch yma.'

Rhoddodd ei goes iach ar y llawr, a'r llall ychydig yn fwy ara. Roedd y cwilt wedi disgyn i'r llawr a gwelodd Linda ei fod yn noeth. Swynodd ei nerth gwrywaidd hi fel pe bai'n ei thynnu ato.

'Na, rwy...' Trodd yn ôl yn gyflym, ond roedd yn rhy agos ato. Daliodd hi yn ei freichiau agored. 'Cariadon ydyn ni nawr, Linda fach,' a thynnu ei law drwy ei gwallt. 'Does dim raid i chi fod yn swil gyda fi, eich gŵr.'

'Dydw i ddim yn swil. Mae'n gas gen i feddwl mai yr ail ore yn eich bywyd ydwyf, ac yn ail ore i'ch dyweddi a'ch gadawodd am ddyn arall.'

'Trueni mawr,' meddai'n ddidaro. 'Pan ofynnais i chi fy mhriodi, fe gofiwch i mi ddweud y byddai'n briodas normal.'

'Ond wyddwn i ddim y pryd hynny i chi fod ar fin priodi dynes arall a'ch gadawodd am gariad gwell. Mae'n debyg eich bod am ddial arni hi drwy fy mhriodi i.'

Rhoddodd Cormac daw arni drwy ei chusanu.

'Tynnwch y goban yna, neu fe'i rhwygaf.'

Dechreuodd Linda ei datod, ond cafodd gip ar y llun oedd yn dal i fod ar y bwrdd bach yn ymyl y gwely. Fflachiodd ei llygaid yn filain i fyw llygaid Cormac. 'Nid o flaen y ddynes yna. Mae bod yn ail ore yn ddigon o sarhad, ond i gael ei llun yn fy ngwylio...'

'Estynnwch o i mi,' gorchmynnodd.

Gafaelodd ynddo a'i daflu ar draws y stafell.

Yna aeth ati i dynnu ei choban a safodd hithau'n noethlymun o'i flaen.

Daliodd hi hyd ei ddwy fraich o'i flaen a syllu arni'n llawn edmygedd.

'Rydych yn ferch hardd iawn. Fe gefais fargen pan delais i chi am fod yn wraig i mi.'

Daliodd y fath sarhad ar ei gwynt. 'Pam y...' Cododd ei llaw i roi clowten ar ei wyneb, ond fe'i daliwyd yn ei afael gadarn ef.

Gafaelodd ynddi a'i thynnu i lawr ar y gwely.

Swynwyd Linda gymaint o weld ei gorff cryf a hardd fel na fedrai ei wrthsefyll. Roedd ei lygaid yn anwesu ei chorff noeth, ac yntau'n ymhyfrydu yn ei feddiant ohoni.

Rhedodd ei law dros ei chorff, a Linda'n mwynhau hynny gan wrthrych ei serch.

'O, Cormac,' meddai, ar golli ei gwynt, 'carwch fi.' Roedd cael ei rhoi ei hun iddo yn ben ar ei hapusrwydd.

Cymerodd hi i'w fynwes a hithau'n maldodi ei gorff â'i dwylo awyddus.

Buont yn gorwedd yn dynn ym mreichiau ei gilydd a hithau'n awyddus i ddweud wrtho ei bod yn ei garu, ond nid adawodd i'r geiriau ddod allan rhag ofn iddo ddweud rhywbeth gwawdlyd a fyddai'n difetha'r hapusrwydd roedd wedi ei brofi.

'Cysgwch yn awr, fy nghariad,' meddai'n dyner, ac am foment fendigedig credai Linda ei fod o ddifri. 'Codwch y cwilt drosom' meddai Cormac, ac aeth hithau i'w freichiau a chysgodd y ddau.

Roedd Linda'n gynhyrfus iawn fore trannoeth pan ddeffrôdd a chlywed sŵn Cormac yn y stafell molchi. Taflodd y cwilt yn ôl i godi ei dillad nos o'r lle y'u gadawyd y noson cynt. Daliodd y dillad o'i blaen pan glywodd Cormac yn siarad.

'Ac felly dydech chi ddim yn swil, neu felly y dwedsoch neithiwr.'

Daeth tuag ati ar bwys dim ond un o'r ffyn baglau. 'Hwyrach nad ydym ni'n dau'n caru yng ngwir ystyr y gair, ond rydym yn rhoi atgofion melys i'n gilydd.'

Mor awyddus oedd hi i ddweud wrtho ei bod yn ei garu o ddifrif.

Gwenodd Cormac yn hapus, ac am funud diflannodd ei erwinder arferol a newidiodd ei wedd. Taflodd y bwndel bach dillad o'i ffordd a chusanodd ei bronnau.

Ond roedd yn ddydd Llun, a rhaid oedd hwylio i fynd i'r swyddfa. Brysiodd Linda i'r stafell fach i gael ei dillad, a gofyn i Cormac a oedd ganddi ddigon o amser i gael cawod.

'Fel gwraig y Cadeirydd mae gennych faint fynnoch o amser.' Ysgydwodd ei phen a dweud nad oedd hynny'n iawn gan ei fod ef yn ei chyflogi. 'A gyda llaw, sylwais eich bod yn rhoi mwy o bwysau ar eich coes ddrwg. A yw'n cryfhau?'

'Ydy, yn araf. Pam? A ydych yn gweld diwedd ein priodas yn y golwg yn barod gan na fydd angen eich gwasanaeth arnaf ynghynt nag y disgwyliech?'

Gwelwodd Linda. 'Doeddwn i ddim yn meddwl am hynny o gwbwl.'

'Na finne chwaith. Yn ôl yr hyn ddwedsoch bydd eich angen arnaf i fy helpu i ladd fy nialedd tuag at fy nghyn-ddyweddi. Gall hynny, fy nghariad, gyda'r harddwch a'r swyn sydd gennych chi, gymryd amser hir iawn.'

Helpodd Mrs Wendon hwy i gychwyn a gyrrodd Jac ei gŵr hwy i Lundain.

Gorweddai Cormac yn ôl yn hapus ar gefn esmwyth y sedd. Fe hoffai Linda estyn ei llaw a chydio yn ei law ef, fel yr hoffai unrhyw wraig gyda'r dyn roedd yn ei garu. Llanwyd hi â rhyw wacter enbyd wrth feddwl mor ddi-serch ydoedd ef tuag ati. Rhyw ddarn gwyrdd yng nghanol anialwch oedd y noson cynt. Cofiai i Cormac ddweud cyn iddynt briodi, er y byddai eu priodas yn wag o gariad na fyddai'n wag o gynhesrwydd. Rhaid oedd iddi fodloni ar hynny.

Agorodd Meic y drws led y pen pan welodd Cormac yn dod.

'Borc da, Mr Daly, O, a Mrs Daly. Rydych yn edrych yn hardd, Mrs Daly.'

Cofiodd Linda mai Meic fu'n ei gwylio hi pan aeth yn ôl at Larry Chapman wedi iddi adael ei swydd. Ond ufuddhau i orchymyn oddi wrth y dyn oedd yn ei hymyl, ei gŵr erbyn hyn, roedd Meic.

Daeth Beti Peters i ysgwyd llaw â Linda. 'Rydych yn edrych yn ddigon o ryfeddod, Mrs Daly,' meddai. 'Mae rhyw droeon rhyfedd mewn bywyd, on'd oes.' Gwyddai Linda ei bod yn cyfeirio at y ffaith mai hi oedd wedi cael gorchymyn i roi cyfeiriad y lle roedd swydd i'w chael iddi, a chofiai fod Mrs Peters wedi ei hannog i fynd yno i weld.

'Chydig feddyliodd neb fod y cyfweliad yn fy nhŷ i yn mynd i arwain i ni syrthio mewn cariad â'n gilydd,' meddai Cormac wrth fynd tua'i swyddfa.

Teimlodd Linda'n ddiolchgar iddo am roi'r olwg orau ar

bethau i Mrs Peters. 'Mae eisiau desg i fy ngwraig yn fy swyddfa. Fe fydd hi'n ysgafnhau'r gwaith i mi, ac i chithau hefyd, gobeithio. At hynny, pryd bynnag y byddaf angen help i symud, fe fydd hi wrth law, yn lle eich poeni chi.'

Sylwodd Linda fod Cormac yn hwylio i fynd at ei waith ac yn tynnu ei gôt. Aeth i'w helpu. Roedd ar fin ei rhwystro, ond newidiodd ei feddwl yn sydyn, a gadael llonydd iddi. Helpodd ef i'w sedd wedyn. Sylwodd iddo gael poen wrth symud i'w stôl.

'A oes galw am i chi fynd i weld y meddyg?' mentrodd ofyn.

'Oes, oes,' meddai dipyn yn flin gan droi ati. 'A does arna i ddim eisiau clywed eich cydymdeimlad chi.'

Curodd Mrs Peters y drws a dod i mewn. 'Mae'r ddesg wedi cyrraedd, a stôl hefyd. Lle hoffech chi i'r dynion ei gosod?'

Nodiodd Cormac i gyfeiriad cornel bellaf y stafell fawr.

'Cymerwch un ffôn oddi ar fy nesg, Linda. Rhaid i chi gael teipiadur hefyd.

Beth am y swyddfa fechan wrth ymyl hon, Mrs Peters? A yw yn dal yn wag?'

'Ydyw, Mr Daly.'

'Wnewch chi ddodrefnu honno hefyd? Bydd yn gyfleus i fy ngwraig weithio yno pan fydd gen i gwsmer. Gallwn wedyn siarad yn gyfrinachol, os bydd galw.'

Dyna, yn bendant, meddyliai Linda, fy rhoi i yn fy lle. Bron na theimlai fel pe bai'n dal i fod yn un o ysgrifenyddesau dinod y cwmni.

Roedd Cormac wedi rhoi bwndel o bapurau iddi i'w darllen. Gwnaeth hynny'n awyddus. Penderfynodd ddangos i Cormac y medrai ddod i ben ag unrhyw waith swyddfa. Galwodd Cormac ar Mrs Peters ar ffôn y swyddfa a dweud wrthi na fyddai ar gael i neb hyd nes y dywedai wrthi.

'Dewch yma, Linda, os gwelwch yn dda. Eisteddwch fan hyn. Rydym ni'n dau yn mynd i drafod swydd a chyfrifoldeb ysgrifenyddes. Estynnwch y pecynnau acw i mi.' Wrth fynd teimlodd Linda nad oedd ei gŵr-gyflogwr yn mynd i newid dim ar ei driniaeth ohoni yn y swyddfa er ei bod yn wraig iddo. Felly pam roedd yn rhaid iddi hi ymddwyn yn wahanol i ysgrifenyddes gyffredin? Yn uchaf yn ei meddwl hi roedd ei serch tuag ato ef, tra tuag ati hi doedd ganddo ef ddim ond ei ddiddordeb gwrywaidd.

'Rhowch y cyfri yma lawr. Nwyddau Cegin...' gwenodd arni. Dyna ryddhad i Linda oedd cael gwên. 'Mae hyn yn siŵr o ganu cloch i chi.' Gwenodd Linda'n ôl. 'Canu cnul ydy. Dyna'r gwahaniaeth.'

'Terfyn ar eich swydd gyda'r Cwmni yma, neu dyna dybiech ar y pryd.'

'Felly chithau,' meddai'n ddigon parod.

'Nwyddau Cegin gan Brightling. Mae'r Cwmni am ehangu eu masnach i wledydd tramor. Iawn?'

Cafodd Linda hi'n anodd i ganolbwyntio ar ei gwaith, a'i serch yn mynd yn drech na hi gan mor agos ato ydoedd.

'Ydych chi'n fy nilyn?' Gwelodd ef ei bod yn nerfus ac yn cau ei dau ddwrn yn dynn.

'Ymlaciwch, cariad,' meddai ac agor ei dwylo hi. 'Does dim rhaid bod yn nerfus gyda fi, eich cariad.'

Tynnodd ei dwylo'n rhydd. 'Gawn ni fynd ymlaen,' meddai mor ddidaro ag y medrai.

Sylwodd Cormac yn wawdlyd arni. 'Pam lai,' oedd ei ateb didaro yntau. Sylwodd wedyn ar y pecyn oedd o'i flaen. 'Mae teithio dramor yn gostus, felly rhaid i ni archwilio'n fanwl cyn prynu tocyn hedfan.'

'O'r gore,' meddai hithau. 'Rhaid i ni wneud ein gwaith cartre a ffonio'r gwledydd fydd dan sylw.'

'Marciau llawn,' meddai yntau â gwên lydan, nes gwneud i Linda chwerthin.

Daliodd Cormac i syllu ar ei gwefusau fel pe bai'n methu tynnu ei lygaid oddi arnynt.

'Mae'n bwysig iawn cael pob gwybodaeth am y marchnadoedd cyn gosod troed ar awyren.'

Roedd yn awr-ginio cyn iddo alw Mrs Peters i ddweud ei fod yn rhydd. Dywedodd wrth Linda ei fod yn mynd â chwsmer allan i ginio. 'A ble caf i ginio?' gofynnodd hithau.

'Ble bynnag mynnoch chi, ac am ba hyd mynnoch chi.'

'Dydy hynny ddim yn iawn,' galwodd hithau o'i desg.

'Rwy'n gweithio i'r cwmni am gyflog, ac nid fel Cyfarwyddwr; rhaid i mi gadw oriau llawn.'

Tra'n gwisgo ei chôt galwodd ar Cormac a dweud y byddai'n ddoethach iddi ei galw ei hun yn Linda Groome pan fyddai'n gweithio yn y Swyddfa.

Penderfynodd gael ei chinio yn ystafell y staff, gan obeithio gweld Mandi, ac aeth at y lifft. Pwy oedd yn dod allan o'r lifft ond Rodger Miller.

'Beth yn y byd ydych chi'n wneud fan hyn?' gofynnodd mewn syndod.

'Gallaf innau ofyn yr un peth i chithau,' meddai Linda. 'Ers pryd rydych chi'n gweithio i Anturiaethau Daly?' meddai o ran hwyl, gan feddwl fod Rodge wedi galw i weld Cormac.

'Rhyw bedair awr.'

'A dyma eich diwrnod cyntaf, beth ydych chi'n wneud?'

'Rheolwr y Stiwdio. Cefais swydd Larry Chapman.'

'Ers pryd mae Larry wedi gadael?'

'Gofynnwch i'r Bòs. Byddwn yn mynd â chi i ginio, ond rwy'n mynd i gael cinio ffarwél gyda fy hen gariad,' oedd cwyn Rodge.

'Gwahanu gan ddeall eich gilydd aie. Fyddwch chi fawr o dro cyn dod ar draws cariad arall.'

Ysgydwodd ei ben. 'Dim ar frys,' meddai. 'Mae hyn yn fy nolurio yn arw. Mae dynion yn cael eu dolurio cofiwch.'

Cwrddodd Linda â Lis oedd yn arfer gweithio heb fod ymhell oddi wrthi.

'Lle rydych chi wedi bod? Dydw i ddim wedi gweld cip arnoch ers dyddiau.

'Rwy wedi priodi, Lis.'

'Lwc dda i chi, Linda. Gallaf eich gweld yn gwneud gwraig dda.' Gwenodd Lis yn ddireidus. 'Yw e'n dal, pryd tywyll, a...'

'Golygus, ydyw. Fe briodon ni'n sydyn. Doeddem ni ddim am aros. Rwy'n edrych am Mandi. Ydech chi'n gwybod ble mae hi?'

'Dacw hi fan acw o flaen eich llygaid.'

'Mae'n hyfryd eich gweld, Linda,' meddai Mandi'n falch.

'Fe af i nôl y bwyd i ni'n dwy. Peth chwithig fyddai gweld gwraig y Cadeirydd yn cario ei bwyd ei hun.'

Cawsant gornel fach dawel iddynt eu hunain. 'Dwedwch wrtha i, Linda,' holodd Mandi'n awchus. 'Sut hwyl sy ar bethau? Rydych yn gwybod beth rwy'n feddwl... ffafriol?'

'Ydynt, mae pethau'n iawn; maent yn well na hynny, maent yn ardderchog, Mandi.'

'Rydych chi'n ei garu, on'd ydych?' holodd Mandi braidd yn bryderus.

'Ydwyf, yn fwy nawr nag o'r blaen.'

'Pryd gwelaf chi eto?'

'Yn y swyddfa bob dydd. Rwy'n gweithio i'r Cwmni. Mae'n stori hir. O, gyda llaw, glywsoch chi am Rodge? Does dim eisiau gofyn os ydych yn ei gofio. Fe wnaeth gryn argraff arnoch ddiwrnod y briodas.'

'Rwy'n ei gofio'n dda iawn, Linda.'

'Wel,' meddai Linda gan wylio wyneb Mandi, 'ar ôl cinio heddiw, bydd yn rhydd i gael cariad newydd. Mae ef a'i gariad yn ffarwelio.'

'Lle gwelsoch chi e?'

'Yn dod o'r lifft, mae ar ei ddiwrnod cyntaf yn gweithio i'r Cwmni.'

'Does bosib!'

'Mae wedi cael swydd Larry Chapman. A wyddech chi fod Larry wedi gadael?'

'Gwyddwn. Mae'n debyg fod Cormac wedi rhoi'r sac iddo am beth wnaeth e i Amy, ac i chithau wedyn. Ac mae Rodge Miller wedi cael ei swydd!'

Tynnodd Linda ei choes a dweud y byddai'n siŵr o'i weld o gwmpas cyn hir. Ffarweliodd Linda gan ddweud y câi'r hanes rwydro arall.

Nid oedd Cormac wedi dod yn ôl pan aeth Linda i'r swyddfa. Daeth Mrs Peters i mewn ac egluro fod y ciniawau busnes hyn yn para am oriau weithiau, ond eu bod yn talu'r ffordd yn dda dros ben. 'Rwy'n falch eich bod wedi dod yma, Mrs Daly, byddwch yn help i Mr Daly. Roedd yn anodd arna i i adael fy ngwaith i daro i'w helpu. Nid yw ei hwyliau wedi bod yn dda iawn byth oddi ar y ddamwain.'

'Oedd e'n fwy dymunol fel bòs cyn hynny?' holodd Linda'n gyfrwys.

Gwenodd Mrs Peters a dweud, braidd yn swil, ei fod yn disgwyl gwaith perffaith gan ei staff, a'i bod hi ran amlaf yn ei blesio neu na fyddai wedi ei chadw.

'Wel', meddai Linda, wrth fynd at ei desg, 'fe fedraf i ysgafnhau'r gwaith i chi nawr gan fy mod wedi dod yma.'

Aeth Mrs Peters allan a meddyliodd Linda pryd y byddai ei hysgwyddau hi yn gwyro gyda'r cyfrifoldeb newydd oedd arni. Roedd yn gyfarwydd â hwyliau oriog Cormac, ond ofnai y gallai fod yn waeth dan yr amgylchiadau newydd.

Wel, meddyliodd, mae gennyf un arf y gallaf ei defnyddio i'w gysuro... a daeth ton ei serch tuag ato drosti. Gwnaeth hynny hi'n anodd iawn iddi ganolbwyntio ar ei gwaith.

Aeth drwy'r papurau a gafodd gan Cormac i fynd drwyddynt. Yna daeth galwad ffôn oddi wrth Mrs Peters yn dweud fod Cwmni Trefnu Cartrefi ar y ffôn a dyn o'r enw Mr Colling eisiau siarad â Mr Daly. 'Yn lle dweud ei fod allan meddyliais y byddech chi'n barod i drafod pethau gyda'r Cwmni. Maent yn swnio'n awyddus iawn. Byddant yn gwsmeriaid newydd.'

'Hoffwn roi cynnig ar y math yna o waith,' meddai Linda, 'ond gobeithio na wnaf eu dychryn i ffwrdd.'

'Mr Colling?' gofynnodd Linda mewn llais busnes hyderus. 'Ysgrifenyddes bersonol Mr Daly sy'n siarad. Fy enw yw Linda Groome.'

Atebodd dyn mewn llais bywiog, parod i drafod. 'Cwmni ydym ni sy'n ehangu ym maes cyfarpar i ysgafnhau gwaith tŷ.'

'Rwy'n gweld,' meddai Linda a'i llais yn galonogol i'r eitha. Mae pethau'n swnio'n dda cyn belled, meddyliodd.

'Rydym am helpu cwmni dibrofiad sy'n cynhyrchu teclyn bychan newydd, un sy'n sugno'r llwch o bob cornel. Rydym yn gobeithio y bydd mynd da arno,' oedd disgrifiad Mr Colling.

'Syniad gwych. Yr union beth i ysgafnhau gwaith tŷ, fel y dwedsoch.'

'Rwy'n falch eich bod yn gweld gwerth yn y teclyn. Rydym

yn bwriadu cychwyn marchnad iddo nid yn unig yn y wlad yma ond mewn rhai gwledydd tramor yn ogystal.'

'Ac rydych am i ni drefnu'r masnachu i chi?'

'Rydych yn gwmni profiadol, ac mae gennych enw da am hyrwyddo marchnata llwyddiannus.'

'Diolch, Mr Colling. Fe rof fanylion eich cais i Mr Daly, ac fe ddaw ef i gysylltiad â chi.'

Diolchodd y dyn iddi, yn arbennig am ei dull boneddigaidd a charedig. Rhoddodd Linda ochenaid o ryddhad, ond cofiodd yn sydyn nad oedd wedi gofyn am gyfeiriad y Cwmni.

'Mae popeth yn iawn, Mrs Daly,' meddai Betty Peters. 'Fe gefais y cyfeiriad gan ysgifenyddes Mr Colling. Sut hwyl gawsoch chi?'

'Wel, fe ddiolchodd Mr Colling i mi am fy null o drafod busnes. Roedd yn swnio'n fodlon iawn. Y cyfan wnes i oedd bod yn ddymunol a chyfeillgar.'

'Ar gychwyn busnes fel hyn,' eglurodd Betty, 'dyna'r cyfan sydd ei angen. Fe fydd eich gŵr yn falch dros ben.'

Amau hynny roedd Linda. Ond wedyn, dyna pam roedd hi yno'n derbyn cyflog. Ni ddywedodd air ac aeth yn ôl i'w stafell.

Ymhen ychydig funudau canodd y ffôn ar ei desg. 'Linda?' gofynnodd Cormac. 'Fydda i ddim yn ôl y prynhawn yma. Fe'ch gwelaf heno.'

'O'r gore Mr...'

'Er mwyn Duw, rwy'n ŵr i chi on'd ydw i. Cewch ddigon o gyfleustra i fynd adre.'

'O'r gore, Cormac,' meddai'n wylaidd. Synnodd ei glywed mor groes.

Cartre. Synfyfriodd gan deimlo'n siomedig na fyddai Cormac yn dod adre'n gynnar. Pryd y dechreuaf edrych ar dŷ Cormac fel fy nghartre i? Ond ar yr un pryd doedd arni ddim awydd mynd yn ôl i'w dull o fyw cyn iddi gwrdd â Cormac. Teimlodd yn ddiflas ac yn unig gan nad oedd Cormac yn ymateb i'w chariad tuag ato. Wedi cyrraedd y tŷ aeth i'r llofft a syllu drwy'r ffenest ar fwthyn ei mam. Hiraethai am ei gweld a medru dweud ei chwyn wrthi. O am gael rhywun i wrando ar ei gofid, a chael sôn am ei chariad tuag at ei gŵr, a'r loes am nad oedd ef yn ei charu hi, nac yn parchu ei theimladau.

Pennod 7

Roedd Linda'n cael cawod pan ganodd cloch y ffôn. Cormac eto, mae'n debyg. Gafaelodd yng ngŵn gwisgo Cormac ac ateb. Ei mam oedd yno'n holi sut roedd pethau'n mynd. Syllodd allan ar fwthyn ei mam. 'Mae popeth yn iawn, Mam. Mae bywyd yn ardderchog.'

'Rwy'n falch o glywed. Roeddech yn ddigon sicr felly pan ddwedsoch eich bod yn ei garu.'

'Os rhywbeth, Mam, rwy'n ei garu'n fwy.'

'Rwy'n symud i fy mwthyn fory, Linda. Fe fyddwn yn agos at ein gilydd wedyn.'

'Fe synnwch glywed fy mod wedi cael cwsmer newydd i'r Cwmni heddiw pan oedd Cormac allan. Bûm yn trafod pethau gyda'r dyn oedd yn cynrychioli'r Cwmni, ac roedd yn fodlon iawn. Rwy wedi gwneud un peth pendant yn fy ngwaith a hynny ar fy niwrnod cynta.'

'Mae'n dda gen i glywed, Linda. Oedd Cormac yn falch?'

'Dydy e ddim yn gwybod eto. Fe ddwedaf wrtho pan . . .'

Gwnaeth sŵn wrth y drws iddi neidio a throi i'r cyfeiriad. Yno roedd Cormac yn pwyso ar y drws. Oedd e wedi bod yno ers tro? 'Mae e yma, Mam. Fe'ch gwelaf chi fory.'

Brysiodd tua'r stafell arall a baglodd yn y gŵn hir oedd yn llusgo'r llawr. Rhaid fod Cormac wedi bod mor gyflym ag ewig ac fe'i daliodd â'i fraich rydd tra oedd y llall yn gafael yn y ffôn.

Teimlai Linda'n wirion, ac eglurodd fod ei mam wedi galw pan oedd hi'n molchi ac iddi afael yn ei ŵn gwisgo fawr ef.

'Gallaf feddwl am rywbeth gwell na fy ngŵn gwisgo i fynd amdanoch ar ôl cawod.' Agorodd y rhwymyn oedd yn ei chau a'i gadael ar agor. Syllodd gan edmygu ei chorff perffaith.

'Gadewch i fi fynd i wisgo amdanaf, Cormac,' ond gafaelodd amdani a'i dal yn ei freichiau a'i chusanu'n eiddgar.

Y munud y gollyngodd hi canodd y ffôn, ac aeth Linda i ateb. 'Mae Mrs Wendon yn dweud y bydd cinio'n barod ymhen chydig funudau.' Aeth i'r stafell fach a dechrau gwisgo amdani. Estynnodd y gŵn gwisgo i Cormac a dweud wrtho am fynd.

'Ewch ymlaen,' gorchmynnodd. Doedd ganddi hi ddim dewis. Arhosodd Cormac yno ac edmygu pob pilyn fel y gwisgai Linda. Wedi iddi orffen trodd Linda ato a gofyn a oedd wedi gweld digon.

'Gormod,' oedd ei ateb gwawdlyd. 'Byddai'n well gennyf eich gweld yn yr ychydig ddillad oedd amdanoch yn y llun a dynnodd Larry Chapman.'

'A ydw i i gasglu oddi wrth hynna mai chi a ddiswyddodd Chapman, ac nad oedd ef am roi ei swydd fyny?'

'Casglwch be ddiawl fynnoch,' meddai, a hercian tua'r stafell molchi.

Wrth y bwrdd cinio bu'n ei holi am y cwsmer newydd y soniodd wrth ei mam amdano. Eglurodd Linda fel y bu pethau a chasglai fod gan Cormac ddiddordeb yn y Cwmni.

'Felly rydech yn meddwl y dylwn fod yn falch o beth wnaethoch,' meddai ymhen tipyn.

'Ydw'n wir, rwy'n meddwl y dylech,' oedd ateb parod Linda. 'Rwy'n ddibrofiad yn y gwaith, ac ar fy niwrnod cyntaf hefyd.'

Tynnodd Cormac hi lawr i'w ymyl, a chafodd Linda ei hunan yn agos iawn ato. Roedd ei glun mor agos ati nes ei themtio i roi ei llaw i orffwys arni, ond llwyddodd i edrych draw. Gyda hynny teimlodd ei llaw yn cael ei thynnu oddi ar ei chôl a'i gosod ar yr union fan y bu hi'n syllu arno.

'Rwyf yn falch o'r hyn wnaethoch, yn enwedig wedi i mi eich clywed yn dweud mor bendant eich bod yn fy ngharu.' Tynnodd ef ei llaw yn ôl ac ymlaen dros ei glun a'i gwylio â llygaid hanner ynghau. Tynnodd ei law yn ôl a daliodd hithau i symud ei llaw fel cynt.

'Roedd yn rhaid i fi ddweud wrth Mam fy mod yn eich caru. Tase hi'n amau nad oeddwn byddai'n pryderu a ddylai symud i'r bwthyn ai peidio. Pam na ddwedsoch wrtha i ei bod yn symud fory? Am roi syndod bach pleserus i fi?' Er iddi wenu, atebodd ef yn sychlyd mai dyna un rhan o'r trefniant a wnaethent.

Taflodd hynny ddŵr oer dros y pleser a deimlai wrth feddwl am yr agosatrwydd newydd rhyngddynt.

'A ydych yn bwriadu cysylltu â'r Cwmni fu ar y ffôn heddiw? Home-aid Planners yw'r enw.'

'Peidiwch â phoeni. Mae'n rhaid i fi gymryd sylw o'ch hoff gynllun i foddhau'r dwylo bach awchus yna... er mwyn y Cwmni wrth reswm.'

Sythodd Linda. 'Ai dyna eich barn amdanaf, — un sy'n bachu popeth? Pryd y deallwch nad wyf yn ariangar.'

Gollyngodd ef ei llaw. 'Felly, te, pam y priodsoch fi?'

Casglodd Linda'r llestri coffi a throi'r teledu ymlaen.

'Gwelais y Meddyg y prynhawn yma,' meddai yntau'n ddidaro ymhen ychydig.

Trodd Linda ei phen yn sydyn. 'Oes rhywbeth o le?'

Chwarddodd am ben ei phryder.

'Gwneud eich gore i ymddwyn fel gwraig dyner a chariadus? Dim ond mynd fel arfer.'

'Beth ddwedodd ef am y goes?'

'Mae'n gwella'n dda. Awgrymodd y llawfeddyg y gellid cael y driniaeth nesa ynghynt na'r disgwyl.' Chwarddodd Cormac unwaith yn rhagor o'i gweld mor bryderus.

'Yn naturiol, mae'n rhaid iddynt symud y mân ddarnau oedd wedi eu gosod i helpu'r esgyrn i asio.'

'Ar ôl hynny, faint o amser gymer y goes i wella'n iawn?'

Roedd yn rhedeg ei law yn annwyl i fyny ac i lawr ei braich. 'Faint o amser sy angen ar rannau o'r corff i asio a chryfhau? Fe allwch chi ddychmygu gystal â finne neu'r Meddyg.'

Tynnodd hi i lawr ato ar y soffa. Cadwodd hi'n dynn yn ei freichiau a'i chusanu ac anwesu ei chorff.

'Mae'n rhaid i ni wneud y gore o'r amser cyn y bydd galw am drafod ein hysgariad. Mae cyfeillgarwch cynnes rhyngom, ond priodas yn fyr o gariad yw ein huniad ni.'

Teimlai Linda fel gweiddi arno ei bod hi'n ei garu yn fwy nag y dychmygai hi oedd yn bosib.

'Cormac,' sisialodd, a gosod ei hwyneb ar ei wddf, 'o fel yr hoffwn...,' i chi fod yn fy ngharu, roedd yn bwriadu ei ddweud, ond i ba ddiben? Byddai hynny mor anobeithiol ag y byddai i blentyn ofyn am y lleuad.

'Fe hoffech chi beth?' meddai Cormac yn dawel yn ei

chlust. 'Dwedwch wrtha i, fy nghariad. Rwy'n addo y cewch unrhyw beth y gall arian ei brynu.'

Cymerodd Linda rai eiliadau i ddeall awgrym Cormac. Syllodd i'w wyneb a gwelodd y fflach oerllyd yn ei lygaid llwydion. Does wahaniaeth beth wnaf, meddai wrthi ei hunan mewn anobaith, does dim yn newid ei syniad mai merch hunanol ariangar ydwyf. Sythodd yn sydyn, a gollyngodd yntau hi gan feddwl ei bod wedi ei digio. Gwenodd yn ddifalio i ddangos nad oedd yn hidio dim os oedd wedi ei digio. Dywedodd ei fod am godi ac aeth hithau ato ar unwaith fel arfer gan guddio ei siom o'i weld am fynd a'i gadael. Dywedodd fod ganddo waith i'w wneud. Yn awr yr oedd yn ymddwyn fel y bòs wrth y ddesg.

'A ydych am i fi ddod i'ch helpu?' gofynnodd hithau gan obeithio cael ei gwmni.

'Arhoswch yma a rhoi gwybod i fi beth fydd diwedd y ddrama,' meddai gan amneidio i gyfeiriad y teledu. Ni chafodd hi gyfle i ddweud diwedd y stori gan na welodd mohono ef wedyn cyn iddi fynd i'r gwely.

Cas beth ganddi yn awr oedd treulio noson yn yr ystafell fach heb gwmni Cormac. Doedd hi'n poeni dim os na fyddai arno awydd ei chyffwrdd. Roedd yn edrych mlaen at gael ei deimlo wrth ei hymyl — at wybod ei fod yno. Gorweddai ar ei hochor; teimlai fod ei holl gorff yn disgwyl amdano.

Fel pe bai ymhen rhai oriau y sylweddolodd fod symud ar y gwely, a bod rhywun yn ei hymyl a llaw yn ei throi a'i llusgo allan o freuddwyd.

'Linda.' Roedd ei lais mor gaeth â gewynnau'r breichiau y tynnwyd hi iddynt. 'Rwyf eich eisiau, Linda.'

Fel pe bai ynghanol niwl cwsg, clywodd ei hunan yn dweud, 'Rwyf innau eich eisiau chithau, Cormac,' a'i chorff, bron o reddf, yn ymwasgu wrth ei gorff a'i dwylo yn chwilio am ei ysgwyddau.

'O na.' Daliodd hi draw. 'Rhy frysiog, 'run fach. Gadewch i ni yn gynta symud y pilyn hyfryd yma sy rhyngom.'

Llwyddodd i gael ei choban nos i lithro'n rhwydd oddi amdani a'u noethni yn eu cynhyrfu. Bu ef yn anwylo a chusanu ei chorff nes peri iddi alw allan a dweud ei bod yn ei garu'n angerddol. Clywodd ei ateb. 'Rwy'n gwybod, rwy'n gwybod, fy nghariad annwyl i. Rydych yn fy ngwirioni'n lân; rydych yn rhoi i mi'r cyfan sy arnaf ei eisiau, a mwy!'

Yna llonyddodd, a'i ben wrth ymyl ei phen hi ar y gobennydd, a chysgodd y ddau yn dynn ym mreichiau ei gilydd.

Lleisiau Mr a Mrs Wendon a ddeffrôdd Linda rai oriau'n hwyrach nag arfer. Sylwodd ar yr amser, a gwyddai fod yn rhaid fod Cormac wedi mynd allan ers oriau. Roedd wedi gadael nodyn. 'Gwell i chi aros adre heddiw. Helpwch eich mam i symud i'r bwthyn. Does dim angen i chi ddod i'r swyddfa. Cormac.' Ochneidiodd o weld nodyn mor ddiserch heb air o anwyldeb ynddo.

Ymddiheurodd i Mrs Wendon am ei bod wedi cadw brecwast i aros. 'Mae popeth yn iawn,' meddai hithau. 'Dywedodd Mr Daly wrthyf am beidio paratoi dim cyn i chi ddod lawr, gan eich bod wedi blino ar ôl diwrnod caled ddoe.'

Nodiodd Linda gan ryw gasglu iddi weld hanner winc yn llygad Mrs Wendon.

'Peidiwch â gwneud llawer o frecwast i fi, Mrs Wendon,' meddai. 'Does gen i fawr o awydd bwyd. Darn o dost a chwpaned o goffi fydd yn hen ddigon. Soniodd fy ngŵr rywbeth wrthych fod Mam yn symud i'w bwthyn heddiw?'

'Do, roedd yn meddwl gallech chi fynd i'w helpu. Bydd yn cyrraedd tua un-ar-ddeg.'

'Rhaid i fi frysio te.'

Aeth Linda i lawr i'r bwthyn, a chyn hir gwelodd y fan ddodrefn yn dod ar hyd y ffordd wledig gul at y bwthyn.

Aeth y gyrrwr at y drws ar yr ochor arall i'r fan a chodi Mrs Groome yn glir yn ei freichiau a'i gosod yn ofalus wrth ddrws ei bwthyn.

'Linda fach,' meddai, â gwên hapus ar ei hwyneb, 'mae'r dynion yma wedi bod dros ben o garedig, ac wedi pacio'r cyfan i mi a dweud fod fy mab yng nghyfraith, bendith arno, wedi dweud wrthynt nad oeddwn i wneud dim o'r pacio. Mae gen ti ŵr caredig dros ben.'

Gwenodd Linda'n ôl arni. 'Mae'n garedig wrthych chi, Mam.'

'Pam te, dydi e ddim yn garedig wrthyt tithau hefyd?'

Brysiodd Linda i dawelu pryder ei mam. 'Wrth reswm ei fod e. Mae e tu hwnt o garedig ymhob ffordd,' meddai, gan amau hynny mewn gwirionedd. Ac eto, ystyriodd, mae hynny'n ddigon gwir, meddai wrth ei hunan, gan deimlo'n euog o beidio cydnabod ei garedigrwydd a'i haelioni.

Bu Mr a Mrs Weldon yn garedig iawn wrth Mrs Groome. Daeth Mrs Weldon â the a brechdanau cig, ac aeth ei gŵr ati i osod pethau yn eu lle.

Aeth Linda yn ôl adre. Bu'n hir rhwng dau feddwl ynghylch mynd i'w gwaith; ond mynd a wnaeth. Wrth fynd tua stafell Cormac teimlai'n ofnus iawn wrth ddyfalu pa fath o groeso roddai Cormac iddi; ai dweud wrthi am fynd yn ôl adre neu roi gwaith iddi wnâi. Yr oedd Mrs Peters yn trafod gwaith gyda Cormac pan aeth Linda i fewn, ac roedd hynny'n torri peth ar y garw. Wrth iddi fynd allan, heb ddim mân siarad, dwedodd Cormac ei fod wedi cysylltu â'r dyn Colling ynghylch y 'Cymorth i'r Cartre'.

'Chi sy'n gyfrifol am y cwsmer yma.' Wrth iddo estyn y ffeil fawr i ddal manylion y busnes, gafaelodd yn ei llaw. Canodd y ffôn ar ei desg hi. 'Colling sy yna,' meddai Cormac, 'dywedais wrtho am eich galw chi am hanner awr wedi tri.'

Wedi rhoi'r ffôn i lawr, dywedodd Linda fod Mr Colling am iddi ei gwrdd yn y ffatri i weld y peiriant codi llwch yn gweithio. Casglodd y nodiadau ar y busnes a'u rhoi yn y casyn mawr a hwylio i fynd.

'I ble ydech chi'n mynd?' gofynnodd Cormac.

'Mynd i gwrdd Mr Colling erbyn hanner awr wedi pump, ac fe gymer dipyn o amser i fynd yno.'

'O na,' meddai Cormac yn bendant. 'Does dim angen i chi frysio i'w gwrdd a gweithio'n hwyr.'

'Bydd Mr Colling yn disgwyl amdanaf.'

'Ac mae'n debyg y bydd yn trefnu cinio gyda chi ar ôl trafod y peiriant ac yn y blaen.'

Gafaelodd yn ei ffôn a galw Mrs Peters, a dweud wrthi am

newid trefniant Mrs Daly gyda Mr Colling o bump heno i hanner awr wedi deg bore fory.

Cododd Linda ar ei thraed. 'Os fi sy'n gyfrifol am y gwaith yma, rwy am ei wneud yn fy ffordd fy hun, diolch i chi.'

Ni wnaeth Cormac gymaint â chodi ei ben, dim ond ymddwyn fel pe bai'n fyddar.

Pan ddaeth yn bump o'r gloch, aeth Linda tua'r drws. Dilynwyd hi gan lais cras Cormac, 'Rydech chi'n dod adre gyda fi.'

'Dim diolch. Fe af adre wrth fy hunan.'

'Linda!'

Sythodd hithau'n styfnig. Roedd anwybyddu'r gorchymyn yn ei lais yn beryglus.

'Helpwch fi i godi,' gorchmynnodd wedyn.

Dal i sefyll yn ei hunfan wnaeth hithau. 'Rydych wedi gwella digon i godi heb help erbyn hyn.' Ni ddaeth ateb o gyfeiriad Cormac. Ymlaciodd Linda, a methodd ddal i'w anwybyddu. Roedd angen help arno, angen na fedrai yn ei byw ei wrthod nawr tra byddai ef yn galw. Roeddynt wedi arfer ar eu dull o'i godi fel na fuont fawr o dro. Wrth iddi symud yn ôl gafaelodd amdani a'i gwasgu i'w fynwes. Roedd golwg ddifrifol arno erbyn hyn, ac meddai mewn llais dwys, 'Os bydd cinio allan ar eich cyfer chi rywdro eto, yn fy nghwmni i a neb arall y bydd hynny.' Daliodd ei thafod a nodio.

Pam, meddyliodd, fod yn rhaid iddo ddal dig ati hi mor aml. A oedd yn bosib fod yna obaith am dynerwch parhaus tuag ati? 'Beth am bryd ysgafn gyda chwsmer?' gofynnodd, 'neu a yw hynny hefyd wedi ei wahardd, ar wahân iddo fod gyda chi, wrth reswm?'

Gwenodd o glywed ei hymgais i fod yn watwarus. 'Mae ciniawa allan o'r cwestiwn. Pryd ysgafn — iawn. OK, Mrs Daly.'

Cododd ei golwg a gwenu arno. Yn sydyn plygodd ei ben i'w chusanu. Gwyddai Linda mai cusan bach ysgafn oedd hwnnw i fod, ond pan deimlodd ei dwylo hi yn anwesu ei frest o dan ei gôt, aeth yn gusan gwahanol, ac yntau'n mwytho ei chorff hithau.

Ar y ffordd adre, a Jac Wendon yn gyrru'r car, wrth aros wrth groesffordd, dywedodd ei fod wedi bod yn rhoi trefn ar fân bethau Mrs Groome.

'Diolch yn fawr i chi, Mr Wendon,' meddai Linda. 'Mae ganddi gymaint o addurniadau mân fel nad oes ganddi le iddynt yn y bwthyn. Mae angen cwpwrdd gwydyr arni.' Chwarddodd Jac a dweud ei bod wedi aros i'w wylio i wneud yn siŵr ei fod yn ddigon gofalus i beidio torri yr un ohonynt.

'Ac rydych am gael cwpwrdd gwydyr i'ch mam?' meddai Cormac yn sydyn.

'Wnes i ddim gofyn am un.'

'Falle naddo, mewn cymaint â hynny o eiriau, ond roedd y dymuniad yn ddealledig yn yr hyn ddwedsoch. Yn ystod y penwythnos ewch gyda hi i ddewis cwpwrdd, un hen ffasiwn neu un diweddar. Y lle gore fydd un o siopau Llundain, os hoffech fynd yno. Beth bynnag fydd y pris, fe dalaf i amdano.' Awgrymodd y cysgod o wên ar ei wyneb ei fod yn dweud mai dyna pam y priodsoch fi.

Aeth Cormac i'r stafell fyw, a chyda help Linda suddodd i un o'r cadeiriau esmwyth. Pan wingodd ef gan y boen yn ei goes, teimlodd hithau blwc o boen o gydymdeimlad yn ei choes hithau. Dyna ddangos, meddyliodd, faint fy nghariad tuag ato. Ond taswn i'n sôn am y peth wrtho, chwerthin ar fy mhen wnâi.

Gan hofran o'i gwmpas gofynnodd a hoffai rywbeth i'w yfed.

'Rydech yn dysgu'n gyflym!'

'Run fath ag arfer?' Estynnodd y gwydryn iddo ac eistedd ar ei gyfer. Ymdrechodd i beidio edrych arno, ond teimlodd ei bod yn cael ei denu i wneud hynny. Wrth yfed roedd Cormac yn syllu'n feirniadol arni, a theimlodd ei chroen yn magu croen gwydd. Mae rhywbeth mawr ar ddod allan, meddai wrthi ei hunan, rhywbeth gwawdlyd, mae'n siŵr.

'Taswn i'n beirniadu eich teimlad tuag ataf yn ôl fel rych chi'n dod ataf pan dwi'n eich galw, byddwn yn sicr eich bod yn fy ngharu.'

Felly, roedd hi wedi dod i'r casgliad iawn ynghylch ei syniad ef am ei hagwedd tuag ato. Wel, roedd hithau yn mynd i dalu'n ôl iddo yn yr un modd. 'Dyna oedd rhan o'n cytundeb priodas ynte? Rwy'n eich helpu chi am eich bod yn fy nhalu am hynny.' (A fedrai fyth faddau i'w hunan am y fath anwiredd?)

'Rwyf am fynd i weld eich mam ar ôl cinio.'

Ar eu ffordd i'r Bwthyn ofnai Linda na fyddai ei mam yn edrych ar ei gore gan nad oedd yn eu disgwyl, ac y gwelai Cormac mor analluog ydoedd.

Ond roedd Rose yn y gegin ac yn edrych fel pin mewn papur, gan ei bod nawr yn byw yn ymyl y tŷ mawr ac y gallai rhywun daro i'w gweld unrhyw bryd.

Aethant i'r stafell fach a dechrau sgwrsio.

'Fedra i byth ddiolch digon i Mr..' Tawelodd wrth weld Cormac yn gwgu. Gwenodd a dweud, 'Cormac, a Rose wyf innau. Ac rwy'n fam yng nghyfraith i chi.'

'Wrth reswm,' meddai Cormac gan wenu'n dyner, 'a mam fy annwyl wraig.'

Gosododd ei law ar law Linda fel pe bai'n pwysleisio ei serch tuag ati.

'Soniodd Linda fod gennych lawer o addurniadau bach tlws a dim lle iddynt yn y bwthyn. Wel, rwyf am roi cwpwrdd gwydr yn anrheg i chi. Y penwythnos nesa mae Linda'n mynd â chi i brynu un. Dewiswch unrhyw un a hoffech, heb feddwl am y pris, ac fe dalaf innau.'

Ar ôl cyrraedd y tŷ dywedodd Cormac fod ganddo waith i'w wneud. Edrychodd ar Linda fel pe bai'n disgwyl iddi gwyno. Roedd hi wedi teimlo fel hynny, ond cnodd ei thafod. Wrth i Cormac fynd tua'i stafell, galwodd yn ddidaro y byddai'n falch o'r tawelwch. 'Rwy'n mynd i edrych drwy fy nodiadau ar 'Cymorth i'r Cartre'.'

Arhosodd yntau a dim ond nodio ei ben.

Yn y nodiadau gwelodd Linda fod Mr Colling yn awyddus iawn i archwilio masnach dramor i ddechrau. Ond tybed, meddyliodd, nad masnach cartre fyddai ore i'w sefydlu gynta.

Gwelodd y dylai gael cyfarwyddyd rhywun profiadol — Cormac ei gŵr fyddai yr un. Eto teimlai ei fod yn cadw ei hunan mor bell oddi wrthi â'r tro cyntaf y gwelodd ef wrth ddrws y swyddfa fawr amhersonol honno. Roedd rhywbeth yn ei pherthynas ag ef yn ei rhwystro rhag plygu i fynd i ofyn iddo am help. Nid oedd am roi cyfle iddo ei bychanu a dweud y dylai drefnu'r busnes o'i phen a'i phastwn ei hun.

Canodd y ffôn ar ei desg. Ei mam oedd yno yn dweud ei bod yn teimlo ychydig bach yn nerfus ynglŷn â chysgu wrthi ei hunan ar y noson gynta yn y bwthyn. 'Fyddai Cormac yn fodlon i chi ddod yma i gysgu am heno? Rwyf wedi gwneud y gwely yn y llofft fach yn barod.'

'Rwy'n siŵr y bydd yn fodlon.'

Roedd dipyn yn anesmwyth yn mynd tua stafell ei gŵr. Roedd y drws yn gil-agored, a rhaid ei fod wedi clywed ei swn yn dod.

'Peidiwch â hofran o gwmpas,' gwaeddodd. 'Dowch i fewn.'

Roedd yn edrych yn flin iawn, ac yn anfodlon fod Linda yn ei boeni ar ganol ei waith. Eglurodd Linda neges galwad ei mam. Cododd yntau ei ysgwydd. 'Popeth yn iawn. Rwy'n deall sut mae eich mam yn teimlo.'

'Felly does dim gwahaniaeth gennych mod i'n treulio noson i lawr yn y bwthyn?'

Lluchiodd ei bin sgrifennu ar y bwrdd. 'Wrth reswm fod gwahaniaeth gen i.'

'A yw hynny'n golygu na fedrwch gysgu heb fenyw yn eich gwely?'

'Dweud wyf na fedraf gysgu hebddoch *chi* yn fy ngwely.'

'A yw hynny'n dweud na allwch gysgu heb eich pleser rhywiol?'

Aeth Cormac yn gynddeiriog. Gwelodd Linda ei bod wedi ei yrru i'r eithaf.

'Myn diawl i, tase 'nghoes i'n iawn fe afaelwn ynoch a rhoi cosfa iawn i chi. Allan o 'ngolwg i, Linda, rhag i mi afael ynoch, coes ddrwg neu beidio.'

Gwelodd ei bod yn bryd iddi fynd, a theimlodd iddi fod ar fai yn ei yrru i'r fath dymer.

Pennod 8

Bu'r bore'n hir iawn yn gwawrio i Linda. Bu'n breuddwydio fod Cormac yn ei hymyl yn ystod yr ychydig amser y cysgodd, a'i fod yn ei charu mewn gwirionedd, ac nid er mwyn bodloni ei chwant.

Er iddi fynd yn ôl i'r tŷ'n gynnar, roedd Cormac eisoes wrth ei waith ac wedi cael brecwast.

Pan aeth i'w stafell, taflodd gip brysiog arni.

'Rwy'n gweld eich bod wedi cael noson dda o gwsg,' meddai'n wawdlyd.

'Mae'n debyg eich bod chi wedi cysgu drwy'r nos.'

'Myn uffern i, siŵr o fod. Bu bron i mi ddod lawr a'ch cario'n ôl i'r gwely.'

Ceisiodd godi, ond aeth hi ato ar unwaith i'w helpu.

'Heno, fi sydd i gael eich cwmni. Mae'n rhaid i'ch mam ddeall.'

'Mae Mam yn deall, deall sut mae hi'n meddwl mae pethau rhyngom.'

Roedd yn barod i ddweud rhywbeth, ond symudodd yn ei flaen yn ara.

Roedd pawb yn dawel iawn ar y siwrnai i'r swyddfa. Rhoddodd Jac ambell chwibaniad o'i hoff gân bop fel ymgais i dorri ar y tawelwch. Yn y lifft safodd Linda yn ymyl Cormac. Ni ddywedodd ef air. Dyfalodd Linda ai arni hi roedd y bai ynte ai ei goes oedd yn ei boeni yn waeth nag arfer!

Wedi cyrraedd y swyddfa helpodd ef i'w gadair cyn mynd at ei ddesg ei hun. Tra oedd yn mynd drwy'r manylion ynghylch 'Cymorth i'r Cartre', teimlai fod Cormac yn ei gwylio. Gwyddai ei bod yn edrych ei gore yn y siwt newydd oedd amdani.

'Yn wir, rydych chi'n datblygu,' oedd ei unig sylw cwta.

'Ie, fel priodferch ifanc yn aeddfedu,' meddai hithau'r un mor gwta.

'A dod yn wraig fusnes brofiadol,' meddai Cormac.

'Erbyn y bydd eich coes wedi gwella,' meddai hithau, gan ymdrechu i fod yn sionc, 'ni fyddwch angen fy help i fel gwraig.'

'Beth ydych yn awgrymu i mi wneud? Eich ysgaru ac wedyn eich cael yn ôl i fyw gyda mi'n ddibriod? Yn ariannol byddai pethau'r un fath, ac ni fyddai'n rhaid i chi bryderu ynghylch eich mam na'ch sefyllfa chi eich hun.' Tawelodd i weld a oedd hi wedi llyncu ei awgrym o ddannod ei phrinder arian cyn dod i'r swydd a hysbysebodd ef. 'Erbyn meddwl, medrwn eich cadw chi fel gwraig a chael dynes arall fel...'

Lluchiodd Linda y cas nodiadau ar ei ddesg gyda chlec. 'Wnewch chi fod yn dawel...'

Canodd y ffôn ar ei desg, a chwarddodd Cormac dros y lle. Taflodd hithau lygad milain arno, a chwarddodd yntau'n fwy fyth.

'Eich atgoffa, Mrs Daly, eich bod wedi trefnu i gwrdd â Mr Colling. Mae bron yn bryd i chi gychwyn.'

'Diolch yn fawr i chi, Beti.'

Ni ddywedodd air wrth Cormac, dim ond casglu ei phethau gan fwriadu mynd tua'r drws heb edrych arno. Ond syrthiodd ei llygad ar un o'i ffyn, wrth iddi gychwyn, a chlywodd ei hunan yn gofyn, 'A fedrwch ddod i ben wrth eich hunan?'

'Hebddoch chi?' a'i lais fel iâ. 'Cystal bob tamaid ag a wnawn cyn i mi erioed daro llygad arnoch chi.'

Bwriadai ef ei dolurio, ond cuddiodd ei theimladau ag osgo lawn busnes a brasgamu tua'r drws.

Roedd yn ganol prynhawn pan ddaeth hi'n ôl i'r swyddfa. Dwedodd Beti fod Mr Daly wedi mynd i gyfarfod masnachwyr.

Gwyddai Linda fod gwrid yn ei hwyneb wedi'r trafod craff gyda Donald Colling, a'r pryd o fwyd gawsent.

Ni fu Cormac yn hir cyn dod yn ôl ac wrth ddod i fewn taflodd olwg graff arni.

'Mae pryd o fwyd ar draul y cwsmer yn dygymod â chi,' oedd ei unig sylw, a hwnnw'n sylw sychlyd. 'Dim ond un peth arall y gwn amdano all ddod â'r fath gynhesrwydd i'ch gruddiau.'

Gwridodd ac aeth ato i'w helpu ond sylwodd ei fod yn dod yn fwy abal, y naill ddydd ar ôl y llall, i symud wrtho ei hunan. Wrth fynd at ei desg teimlodd fod y ffaith yn peri mwy o dristwch na llawenydd iddi. Po leiaf y dibynnai arni hi, agosaf y deuai terfyn eu priodas.

'A beth oedd gan Mr Colling i'w ddweud?'

'Mae'r cwmni bach am i'w peiriant gael ei werthu ymhob gwlad sy'n fodlon ei dderbyn. Ond awgrymais y dylid canolbwyntio ar fasnach yn y wlad yma i ddechre, a sicrhau ei fod yn llwyddiant.'

'Oedd Mr Colling yn cyd-weld?'

'Bu'n anodd iawn ei berswadio. Mae Donald yn ifanc, ac yn eiddgar dros ben.'

'Donald?'

'Ie, Donald,' meddai'n bendant. 'Donald Colling.'

Gwelodd edrychiad amheus ei gŵr, ac aeth ymlaen i egluro fod Mr Colling wedi dweud wrthi am ddefnyddio ei enw personol. Daliodd Cormac i syllu'n amheus arni nes ei gyrru i dymer. 'Taswn i'n ddyn, byddech yn fodlon ar hynny. Mae'n ddull o hwyluso busnes, on'd yw e? Mae'n dangos agos-atrwydd a chyfeillgarwch.

'Nac ydyw, nid cyn belled ag y mae fy ngwraig i yn y cwestiwn.'

'Ond dydw i ddim yn wraig i chi.'

Gwingodd Cormac.

'O, wel, ydwyf, ar hyn o bryd; ond rydych yn siŵr o fod yn deall beth wy'n feddwl.'

'Fi, Linda, yw'r unig ddyn sy'n mynd i ddangos agosatrwydd a chyfeillgarwch atoch chi.'

Anadlodd Linda'n ddwfn, wedi cael hen ddigon ar yr helynt.

Cydiodd mewn pensil a'i daro ar ei llyfr nodiadau. 'Os ydw i i barhau i wneud y gwaith rydych wedi ei roi i mi, rwy'n meddwl bod yn rhaid i fi symud o'ch stafell chi. Yma dydw i yn ddim ond estyniad o'ch personoliaeth chi. Waeth faint fy ymdrech i geisio torri'n rhydd, rydech chi yn fy nal yn ôl. Hynny, neu,' ag anadliad dwfn arall, 'bydd yn rhaid i fi chwilio am waith gyda chwmni arall.'

'A dyna'ch gair ola?'

'Nid gwylltio ydw i Cormac, ond wynebu ffeithiau. Mae

bod yma yn fy rhwystro rhag gwneud fy ngwaith gorau. Tase gen i stafell i mi fy hun,' gan nodio at y stafell agosaf, 'teimlwn yn fwy rhydd i weithio ar fy syniadau fy hunan, yn lle gorfod gohirio a disgwyl am eich ymateb chi i bethau o hyd.'

'O'r gore. Symudwch o'r stafell yma.'

Teimlai iddo fychanu ei chais a'i dirmygu; ac yn waeth fyth, ei fod yn ei gorchymyn i symud allan. Ymdrechodd i feddiannu ei hunan-barch. Casglodd ei phethau a cherdded trwodd i'r stafell fach. Syllodd Cormac arni'n mynd. Ni ddywedodd air.

Fel roedd yn mynd i gau'r drws, canodd y ffôn ar ei hen ddesg. Trawodd ei phethau o'i llaw a brysio'n ôl i ateb y ffôn.

Donald Colling oedd yno. 'Prynhawn da, Don. . .' Teimlodd fod dicter Cormac yn treiddio ati. 'Mr Colling.' Dychmygai weld y dyn ar y pen arall yn gwrido.

'Donald, os gwelwch yn dda. Dyna beth drefnwyd yntê, Linda. Gair ynghylch ein cynnyrch sy gen i. Rwyf am gael ei hysbysebu nid yn unig yn y papurau, ond ar y cyfryngau hefyd.

'Rydym yn awyddus i dynnu sylw gwragedd ifanc, prysur. Nhw fydd yn manteisio fwyaf ar beiriant o'r fath. Rwy wedi bod yn meddwl a fyddech chi'n fodlon. . . Rwyf wedi gweld hysbyseb arall gan y cwmni rydych yn gweithio iddo. Mae'r ferch ynddo yn hynod o debyg i chi. Wrth edrych arno. . . gyda'r harddwch a'r cynhesrwydd yn y llun. . . byddech yn ddarlun cywir o wraig tŷ ifanc, a mam.'

'Yn wir, Donald, dydw i ddim yn meddwl y medraf. . .'

'Gwn nad ydych yn briod, ond rydych y teip sy'n debyg o fod; gallech wisgo modrwy ar eich bys.'

'Diolch yn fawr i chi am eich geiriau caredig, ond fedra i ddim ar unrhyw gyfri gael tynnu fy llun ar gyfer eich hysbyseb chi.'

'O, a dydech chi ddim yn briod?' Daeth llais Cormac ati'n taro fel ton wrth iddi roi'r ffôn i lawr.

'Ond rwy wedi dweud wrthych fy mod yn meddwl, o ran busnes, y byddai'n well i mi gadw at fy enw pan oeddwn yn ddibriod.'

'Mae yna ffordd arall i ddangos a yw merch yn briod ai peidio.' Fflachiodd casineb yn ei lygaid. 'Beth wnaethoch â'ch modrwyau?'

'Eu gwisgo ar y llaw arall.'

Aeth yn dawelwch peryglus rhyngddynt. Pan gododd hi ei phen cafodd gryn sioc. Sylwodd ar y gynddaredd oedd yn ei lygaid.

'A ydych yn mynd i chwarae'r un tric gwael â'r fenyw arall?'

Ymdrechodd hithau i gadw'r dagrau'n ôl. 'Wnawn i byth y fath beth â chi, Cormac,' meddai'n bendant.

'O, na, dim perygl. Byddai'n ormod o golled i chi... yr arian mawr sy yng nghytundeb ein priodas, a llawer arall.'

Doedd dim taw ar ei gyfeirio fyth a hefyd at ei hunanoldeb, a hynny'n gwbwl ddi-sail.

Wrth iddi godi i fynd, canodd y ffôn ar ddesg Cormac, ac aeth hithau'n dawel i'w stafell fach.

Yn ystod cinio'r noson honno dywedodd Cormac ei fod yn mynd i gynhadledd ym Manceinion yn y bore. Cafodd Linda gryn syndod.

'A hoffech i fi ddod gyda chi i'ch helpu gyda'ch gwaith. A beth am y goes ddrwg?'

'Dim diolch, mae help ysgrifenyddes i'w gael yno. Fy nghoes?' Cododd ei sgwyddau. Rwyf wedi dod bron yn hollol abl i edrych ar fy ôl fy hun y dyddiau yma. Peth od na fyddech wedi sylwi.'

'A ydyw yn golygu aros noson yno?'

'Mae'r cynhadledd yn para am bum niwrnod. Dof adre ddydd Llun.'

Pedair noson hebddo, a dyddiau gwag! Syllodd Linda arno heb falio ei fod yn gweld y siom yn ei llygaid.

'A ydych yn esgus dweud wrthyf y gwelwch hi'n chwith hebof?' Gwelai ef y syniad yn un doniol iawn, a lled chwarddodd.

'Gweld eich eisiau? Na wnaf, wrth reswm,' meddai Linda er mwyn dilyn ei agwedd groes ef.

Am ychydig amser, ni fedrai gael dim i'w ddweud. Gadawodd ei bwyd ar ei hanner, a hwylio i fynd allan. 'O

101

bydda,' sisialodd heb geisio cuddio ei theimladau. 'Mae'n ddrwg gen i ond fe fyddaf yn ei gweld yn chwith hebddoch.'

'Rhaid i chi wynebu'r anochel, Linda.'

'Pa anochel?' gofynnodd yn chwerw. 'Fy mod i wedi syrthio mewn cariad â dyn sydd yn fy nefnyddio'n unig i fodloni ei chwantau rhywiol. Roeddwn wedi arfer meddwl fod parch at berson yn cyd-fynd â syrthio mewn cariad.'

Wrth iddi fynd heibio gafaelodd Cormac yn ei llaw.

'Felly nid ydych yn fy ngharu na fy mharchu. Os felly, dydech chi ddim gronyn gwell na'r syniad sy gennych amdanaf i.'

'Ond dydw i ddim yn eich defnyddio chi.'

'Nac ydych? Beth yw rhannu fy nghartref a fy ngwely os nad hynny? Beth yw derbyn yr arian rwy'n dalu'n gyson i'ch cyfri banc ond fy nefnyddio?'

'Gadewch fi'n llonydd,' gwaeddodd.

'Gyda phleser.' Cododd Cormac ar ei draed heb ei help hi. 'Mae gen i waith paratoi ar gyfer y gynhadledd. Hoffech chi ofyn i'ch mam ddod yma i gadw cwmni i chi?'

'Na, dim diolch. Fe a i lawr i'r bwthyn. Mae'r awyrgylch yn fwy cynhesol yno. Ac o leiaf, bydd hi'n falch o'm gweld.'

Byddai Linda'n mwynhau taro lawr at ei mam, er bod ei meddwl weithiau ymhell o'r sgwrs. Y tro yma roedd yn meddwl am Cormac yn mynd oddi cartre, a phryd, tybed, y byddai'n rhoi gwybod iddi na fyddai ei hangen arno.

Pan aeth i'r tŷ roedd Cormac yn gorwedd ar y soffa a'i lygaid ynghau ac yn gwrando ar gerddoriaeth. Nid agorodd ei lygaid hyd yn oed pan eisteddodd yn ei ymyl. Cyn hir cydiodd yn ei llaw.

'Rydych yn rhy bell,' cwynodd. 'Dowch yn nes. Na, yn nes eto.' Roedd y gerddoriaeth wedi tawelu. Tynnodd hi i lawr ato, a rhoddodd ei fraich amdani. Roedd y gerddoriaeth wedi dylanwadu arno a thyneru ei agwedd anfaddeugar.

'Cusanwch fi,' meddai, a chusanodd Linda ef, yn falch o weld ei anwyldeb eto.

'Ewch i'r llofft,' meddai yntau, 'a dof innau i fyny.' Gorweddodd y ddau ar y gwely a buont yn cusanu ac anwylo ei gilydd, a Linda, yn ei chariad tuag ato, yn ei rhoi ei hunan iddo. Aeth y ddau i gysgu ym mreichiau ei gilydd.

Roedd Cormac wedi gadael yn gynnar, cyn i Linda godi. Aeth hithau i'r swyddfa.

Gydag iddi gyrraedd, ffoniodd Rodge Miller hi.

'Sut mae Mrs Cormac Daly y bore yma? Yw hi wedi llwyddo i ddofi tymer ei gŵr erbyn hyn?'

'O, mae hi'n gampus. At dymer pwy oeddech chi'n cyfeirio? Gwyddoch fod Cormac wedi mynd i Gynhadledd ym Manceinion.' Aeth Rodge yn anesmwyth, a thawelu am eiliad.

Ar yr awr ginio aeth Linda i stafell fwyta'r staff i weld Mandi, a daeth Rodge at eu bwrdd. Roedd ef yn chwilio am Mandi er mwyn gwneud trefniadau i fynd am dro gyda hi. Helpodd Linda hwy i ddod yn gyfarwydd â'i gilydd. Y noson honno ffoniodd Rodge Linda wedyn i gael gwybod a oedd Mandi'n canlyn rhywun. Roedd yn falch iawn o wybod nad oedd, a'i bod yn ferch ddymunol iawn. Ond cyn iddo roi'r ffôn lawr, manteisiodd Linda ar y cyfle i ofyn cwestiwn oedd wedi bod yn ei phoeni drwy'r dydd. 'Roeddech yn swnio braidd yn od wrth i mi sôn fod Cormac wedi mynd i'r gynhadledd. Pam?'

Bu Rodge yn dawel am ysbaid. 'A ydych mewn gwirionedd am wybod pam? O'r gore. Roeddwn yn meddwl tybed oeddech chi'n gwybod fod Yolande Wilson yn mynd yno hefyd.'

'Y ferch oedd wedi ei dyweddïo i Cormac?' gofynnodd Linda, bron yn rhy gryglyd i yngan gair.

'Mae hi'n mynd yno yn rhinwedd ei swydd, dros gwmni sy'n cynhyrchu defnyddiau gwlân a chotwm.' Clywodd Rodge ochenaid Linda. 'Peidiwch â gofidio, Linda, rydech chi'n wraig iddo. Does dim peryg iddo fyth fynd yn ôl ati hi wedi iddo gael gwraig mor ddymunol â chi.'

'Ond wedi'r cwbwl, Rodge,' meddai Linda gan swnio'n drist, 'roedd Cormac wedi gofyn iddi ei briodi. Pam yn y byd y gadawodd hi fe?'

'Stori arall yw honno. Gofynnwch i Cormac rywdro. Iawn?'

Tarodd Linda'r ffôn i lawr fel pe bai ar dân. Felly, doedd

y caru angerddol y noson cynt ddim mwy na noson o fodloni chwant cnawdol gwryw.

Ar ôl disgwyl mor hir i gael ffôn oddi wrth Cormac, casglodd na fyddai'n ffonio o gwbl.

Ond rhedodd lawr o'r stafell molchi yn hapus iawn pan glywodd ffôn yn canu.

'Linda Groo..., na, Linda Daly'n siarad.'

'Rwy'n gweld,' meddai llais benywaidd ag acen ffug-fonheddig. 'A ydych yn siŵr mai Daly yw eich enw, Mrs Daly?'

'Linda Daly sydd yma,' atebodd yn bendant iawn gan y gwyddai pwy oedd yno.

'Felly, mae'r peth yn wir. Ni fedrwn gredu Cormac pan ddwedodd wrthyf neithiwr ei fod wedi priodi. Beth oedd eich gwaith pan gododd Cormac chi o'r gwter? Rhyw fodel fach ddiwerth?'

'Clywais, Miss Wilson, mai dyna'n union oeddech chi pan ddewisodd Cormac...' tawelodd am eiliad neu ddwy, i feddwl. Fe rof i rywbeth i'r fenyw ddigywilydd yma i gofio am Mrs Daly... 'ie, eich dewis chi o blith nifer o grotesi. O glywed yr hanes, mae'n rhaid fod y lleill yn erchyll o salw.'

Bu'r ergyd roddodd Linda i'r ffôn yn ddigon i beri poen pen iddi. Ond roedd yn dda ganddi na fedrai Yolande Wilson weld cryndod ei dwylo. Felly, roedd Cormac wedi bod yn ei thrafod hi gyda'i hen gariad...

Beth oedd hi i gasglu oddi wrth hynny? Beth am ei dyfodol?

Eisteddai yno ar ei phen ei hunan, a sylweddolodd mai ffals oedd y teimladau cariadus a ddangosodd Cormac y noson cynt, fel bob amser, mae'n debyg. Gan nad oedd ganddi ddim i'w wneud aeth i'r gwely. Ni fedrodd gysgu, dim ond hel meddyliau. Doedd Cormac erioed wedi peidio â charu Yolande Wilson, neu fe fyddai wedi lluchio'r llun ohoni oedd wrth ei wely. A rhyfedd iawn oedd iddo beidio â'i symud cyn iddo ei phriodi hi. Lle roedd y llun erbyn hyn tybed?

Ymlusgodd allan o'i gwely ac agor droriau Cormac. Yno roedd y llun yn y trydydd drôr, a'i wyneb i fyny yn hwylus iddo gael cip arno, tybiodd Linda. Canodd y ffôn eto, a brysiodd i wthio'r llun yn ôl. Roedd mewn tymer ddrwg erbyn hyn.

'Ie,' meddai, heb falio os sylwai'r sawl oedd yn galw ar ei siarad cwta.

'Linda!' Swniai yntau'n groes. 'Lle ddiawch rydych wedi bod drwy'r min nos?'

'Lawr gyda Mam am beth amser. Pam?'

'Dyma'r pumed tro i fi ffonio. Ddwywaith doedd dim ateb, yna roeddech yn siarad â rhywun.'

'O,' atebodd, 'dyna'r pryd y ffoniodd fy nghariad cudd, ond diolch i chi am ddal ati i fy ffonio.' Trawodd Linda'r ffôn yn ôl yn ei lle gan ymdrechu i rwystro'r dagrau. Pan ganodd wedyn syllodd ar y teclyn heb symud. Peidiodd y canu, ac ailddechrau mewn ysbaid fer. Atebodd hithau.

'Nawr, dywedwch yn iawn pwy fu'n siarad â chi.'

'Ffoniais Mam unwaith.' Yna, ar ôl saib. 'Fe ffoniodd eich cariad chi, Yolande Wilson.'

Bu tawelwch hir a thybiodd ei fod wedi mynd. Yna 'Clic'. Roedd Cormac wedi rhoi'r ffôn i lawr heb ddweud gair.

Roeddynt wedi gwahanu mewn cweryl. Nawr byddai ar ddihun drwy'r nos.

Pennod 9

Gan ei bod am gael sgwrs â Rodge Miller, aeth Linda at fwrdd Mandi ar yr awr ginio, gan y casglai y byddai ef yno hefyd. Bu'r sgwrsio'n ddifyr, a threfnodd Linda i gwrdd â Rodge ar ôl y gwaith. Aeth Rodge â hi i gaffe bach am gwpaned o de.

'Mae rhywbeth yn eich poeni, on'd oes, Linda' meddai Rodge yn garedig.

Dywedodd wrtho fel roedd Yolande Wilson wedi ei ffonio a'r hyn a ddwedodd amdani hi a Cormac. 'Rwyf i wedi fy ngadael yn y tywyllwch. Mae yna bethau y dylwn wybod amdanynt gan fy mod yn awr yn wraig i Cormac.'

'Sylwais pan oeddych yn dweud wrth Mandi ei bod yn cymryd cryn amser a phrofiad newydd i ddyn adennill ei ymddiriedaeth mewn merch ar ôl iddo unwaith gael ei siomi gan un. 'Gofynnwch i Linda am Cormac,' oedd eich geiriau. Rwyf yn gofyn i chi nawr am Cormac. Rwyf wedi meddwl llawer am ei eiriau wrthyf, pan ofynnodd i mi a oeddwn yn mynd i'w dwyllo fel y gwnaethai ei gyn-ddyweddi.'

Cododd Rodge ei ysgwyddau. 'Os ydych chi'n mynnu, Linda. Fe gewch yr hanes.'

'Wel, roedd y ddau ar wyliau sgïo yn y Swistir.'

'Cormac a Yolande?'

'Ie, Ionawr diwethaf. Dydi hi ddim yn stori hir, p'run bynnag. Roedd yn dechre nosi ar y mynyddoedd, a mynnodd Yolande, yn groes i bob cyfarwyddyd, sgïo lawr y llechwedd wrth ei hunan. Cafodd ddamwain, a rhuthrodd Cormac ar ei hôl. Ond yr hyn na wyddai ef oedd fod yna ddyn arall yn cadw llygad ar Yolande yr un pryd. Daeth hwnnw allan o'r cysgodion a chymryd gofal ohoni. Trawodd y ddau yn erbyn ei gilydd a syrthiodd Cormac a thorri ei goes. Tra oedd yn gorwedd yno heb fedru symud bu'n rhaid iddo edrych ar ei gariad annwyl yn codi ei breichiau o flaen y dyn arall ac yn cael ei chario ymaith yn dyner a gofalus.'

'Daeth rhywrai, mae'n siŵr, i helpu Cormac?'

'Do, criw mawr ohonyn nhw. Dyna i chi beth wnaeth iddo gasáu menywod â chas perffaith. Tyngodd y mynnai ddial, a rhoi uffern o amser iddynt.'

'I un yn arbennig? I unrhyw ddynes?' oedd cwestiwn parod Linda druan.

'Hei, Linda, nid dyna pam y priododd fy nghefnder chi,' meddai pan sylwodd ar rediad meddwl Linda. 'Mae un cip arnoch yn ddigon i brofi hynny.'

Daeth cysgod gwên i wyneb Linda. Gwyddai lawer mwy nag a wyddai ef, ond yn bendant, nid oedd yn bwriadu dweud dim wrtho.

'Roedd Yolande yn caru hefo'r dyn a'i cariodd hi ffwrdd.'

'Hyd yn oed pan oedd hi wedi ei dyweddïo i Cormac?'

Nodiodd Rodge. 'Roedd y cyfan yn ei gynhyrfu ef, fel y gallwch feddwl. Dydy e byth wedi maddau iddi.'

'Nac i unrhyw ddynes arall,' oedd ateb parod Linda, yn deall mwy nawr wedi clywed yr hanes yn llawn.

'Peidiwch edrych mor ddigalon, Linda,' meddai Rodge, i'w chysuro. 'Rydych yn wraig i Cormac.'

'Dim ond tra bydd arno angen fy help, Rodge. Pan fydd ei goes wedi gwella'n iawn...' Tynnodd Linda ei llaw yn groes i'w gwddf, '... dyna fydd fy hanes i. Nos da, Rodge. Diolch yn fawr am ddod. Rydych wedi agor fy llygaid.'

Llusgodd y penwythnos yn feichus o ara. Treuliodd Linda'r rhan fwyaf o'r amser gyda'i mam. Ni fedrai ei mam ddeall y synfyfyrdod yn llygaid ei merch, ond ni ddwedodd air wrthi. Aethant i Lundain i un o'r siopau mawr. Troi oddi wrth lawer o'r cypyrddau wnâi Rose ar ôl cael cip ar y pris.

'Peidiwch â phoeni, Mam. Mae Cormac wedi dweud ei fod ef yn talu.' Dewisodd y ddwy gwpwrdd hardd heb fod yn rhy fawr i'r bwthyn. Arhosodd Linda gyda'i mam dros y ddwy noson. Daeth dydd Llun, y diwrnod i Cormac ddod adre.

Yn ystod y prynhawn yn y swyddfa, daeth Mrs Peters i stafell Linda i ddweud fod rhywun eisiau ei gweld. 'Rwy'n meddwl, Mrs Daly, y dylwn eich rhybuddio mai hi...'

'Rhybuddio Mrs Daly rhag beth, Mrs Peters?' Deallodd Linda pwy oedd hi ar unwaith; onid oedd hi wedi edrych gormod o lawer ar ei llun. Aeth Beti allan, yn ara, fel pe bai'n anfodlon mynd. Ond doedd dim rhaid iddi ofni, tybiodd Linda. Fe fedrai hi ddal ei thir yn erbyn dwsin o'r math yma.

Dyna feddyliai hi hyd nes i Yolande ddechrau siarad.

'Mae'n debyg fod Beti yn mynd i'ch rhybuddio ynghylch y dylanwad sydd gennyf ar eich gŵr.'

'Dylanwad a'i rhybuddiai i'ch gwylio fel gwylio rhag sarff wenwynig,' meddai Linda yn araf a thawel, a'r watwareg yn amlycach oherwydd hynny.

'Rydych ymhell o'ch lle, Mrs Daly. Does gennych ddim syniad pa mor agos oeddem ni'n dau.'

'Gwn nad yw ef byth wedi maddau i chi, beth bynnag.'

'Ond gall hynny olygu ei fod yn dal i fy ngharu.'

Edrychodd Linda ar ei wats, a symud at ei desg yn barod i fynd ymlaen â'i gwaith.

'Mae Cormac eisiau i mi fynd yn ôl ato. Buom gyda'n gilydd yn y Gynhadledd. Rwyf wedi gadael y dyn roeddwn yn cyd-fyw ag e, a gwneud beth mae Cormac eisiau. Yr wyf yn mynd yn ôl ato.'

'Ond mae yn y gynhadledd, mewn cyfarfod pwysig y bore yma.'

Roedd Linda bron yn fud mewn ymdrech i wneud synnwyr o'r newyddion erchyll a glywodd gan gyn-ddyweddi ei gŵr.

'O, ie; bu bron i mi anghofio ei neges i chi. Ni fydd yn dod yn ôl i Lidiardau Gwynion. Fe fydd yn byw dros dro yn ei fflat yn Llundain. Mae wedi gofyn i mi fynd yno i fyw gydag ef. Rwyf yn falch o gael mynd. Rwyf i'w gwrdd heno.'

Cododd Yolande a hwylio allan.

Brysiodd Beti at Linda. 'Ni roddodd y fenyw gyfle i mi eich rhybuddio, Mrs Daly.'

Pryderai o weld wyneb llwyd Linda. 'Beth mae'r ddynes wenwynig yna wedi bod yn ddweud wrthych? Peidiwch cymryd sylw ohoni.'

'A oes fflat gan Mr Daly yn Llundain, Mrs Peters?'

Nodiodd Mrs Peters. Yr ateb yr arswydai Linda rhag ei glywed. 'Peth od na fyddai wedi sôn amdani wrtha i.' Ofnai Linda fod y cweryl bach ar y ffôn y noson cynt wedi gwneud iddo gymryd ei hen gariad yn ôl, i gael gwared y wraig a briododd yn unig er mwyn dial ar y ddynes oedd wedi ei drafod mor greulon.

'Mae ei gartre yn Llundain yn ymyl Parc Regent; mae'n lle hyfryd. Rwyf wedi bod yno unwaith.'

Wedi i Beti fynd, gwasgodd Linda ei phen â'i dwylo. Roedd cant o forthwylion yn curo yn ei hymennydd. A beth oedd yn ei haros? Ysgariad. Yna bywyd o unigrwydd yn ymestyn o'i blaen. Ond yr hyn a'i doluriai fwyaf oedd iddo ef ei hunan beidio â dweud wrthi. Pam roedd yn rhaid iddo ei bychanu i'r fath raddau drwy roi'r neges i Yolande o bawb, un a wnaeth hynny yn y ffordd fwya dideimlad a chreulon. Nid aeth i lawr at ei mam y noson hynny. Ofnai na fedrai guddio ei theimladau, ac y byddai'n rhoi baich o anhapusrwydd ar ei mam. Byddai'n rhaid iddi gael gwybod, ond nid hyd nes y byddai wedi cael amser i feddwl am ei dyfodol, a hefyd, sylweddolodd gyda chryn sioc, ddyfodol ei mam.

Canodd y ffôn, ac ni fedrai Linda fynd yn ddigon cyflym i'w ateb. Roedd yn rhaid mai Cormac oedd yno, a byddai'n rhoi terfyn ar yr hunllef o ansicrwydd. Ond Larry Chapman oedd yn gofyn a oedd yn gyfleus iddo ddod i'w gweld ar fater o'r pwys mwyaf. Cytunodd Linda yn ei dryswch. Daeth Larry i'w nôl yn ei gar a mynd â hi i'w gartref.

Cynigiodd iddi, fel o'r blaen, gyfle i gael ei llun mewn hysbyseb ar gyfer 'Celfi Cegin'. Gwrthododd yn bendant.

'Pam yn y byd y cynigiwch hyn i mi unwaith eto?'

'Mae eich gŵr wedi eich gadael, on'd yw? Ac mi fydd angen yr arian arnoch.'

'Pwy ddywedodd hynny wrthych?'

'Yolande; ffoniais hi y bore yma yn y Gynhadledd i roi cynnig iddi, fel rwy'n ei roi i chi, i gael ei llun yn yr hysbyseb. Ond gwrthododd am ei bod wedi mynd yn ôl at Cormac, ac i fyw gydag ef.'

Torrodd y ffôn ar draws eu sgwrs a brysiodd Larry i ateb.

'O, Yolande. Ynghylch y llun hwnnw? Na, dim lwc hyd yn hyn. Ydi, mae Linda yma, neu a ddylwn ddweud "Mrs Daly."

'Pam mae hi yna?'

'O am sgwrs, a diferyn i'w yfed, a... does dim angen egluro peth fel hynny!'

Pennod 10

Roedd yn anodd iawn i Linda fynd i'w gwaith drannoeth wrth feddwl am wynebu Cormac. Cyn mynd i'w stafell, galwodd gyda Beti.

'Ydi 'ngŵr i yma?' Cwestiwn od iawn i wraig ofyn.

Ysgydwodd Beti ei phen. 'Y neges ddaeth i mi oedd ei fod yn gorfod aros ym Manceinion ar fater o fusnes. Cwsmer newydd mae'n debyg.'

Teimlodd Linda ryddhad yn gymysg â siom. Ni ddaeth adre drannoeth ychwaith. Ond y bore wedyn yr oedd llythyr ar ei desg a 'Personol' arno. Gwelodd Linda mai ysgrifen Cormac ydoedd. 'Linda,' dechreuodd y llythyr. 'Gallwch gyfrif fod ein priodas wedi dod i ben. Nid wyf am eich gweld byth eto. Bydd eich swydd gyda'r Cwmni'n terfynu y bore yma. Mae croeso i'ch mam aros yn y bwthyn. I chi mae'r dewis o aros yno gyda hi neu beidio. Bydd eich cyflog yn para tan yr ysgariad, pryd bydd y llys, mae'n debyg, yn penderfynu ar y trefniadau o hynny mlaen. Cormac.'

Daeth cryndod drosti. Rhybudd o derfyn ar ei phriodas, ac mewn dull mor gwta, heb roi unrhyw gyfle iddi hi i'w hamddiffyn ei hunan. A oedd perygl fod Yolande Wilson wedi rhoi camargraff ar y ffaith ei bod yng nghartre Larry Chapman?

Cododd y ffôn, gan ddal i grynu. Gofynnodd i Beti Peters ffonio'r gwesty ym Manceinion lle roedd Cormac yn aros. Atebodd Beti mewn ychydig funudau. 'Nid yw Mr Daly yno, Mrs Daly. Aeth oddi yno, fel y trefnodd, ganol dydd ddydd Llun.'

'Ddeuddydd yn ôl. Ond fe ddwedsoch wrtha i...'

'Roedd rhywbeth wedi ei gadw ym Manceinion. Dydw i ddim yn deall mwy na chithe.'

Syllodd y ddwy ar ei gilydd mewn penbleth. Gwyddai Linda am un fedrai ei helpu.

Galwodd Rodge ar y ffôn. 'Helo, Linda,' a disgwyl yn amyneddgar.

'Rodge, a fedrwch roi gwybod i mi ble mae Cormac. Plîs, plîs, Rodge.'

'Peidiwch â gwylltio, Linda. Fe wnaf fy ngore i chi. Dydw i ddim yn gwybod. Yn y Gynhadledd yntê? Ddaeth o ddim adre neithiwr?'

'Cefais lythyr oddi wrtho, Rodge... llythyr arswydus... Mae'n trefnu i ni gael ysgariad.'

'Disgwyl am hynny oeddech, mae'n debyg. Sonioch am y peth y nos o'r blaen. Fe chwiliaf gymaint a fedraf, a galwaf chi'n ôl. Iawn?'

Pan ganodd y ffôn, atebodd Linda ar frys, 'Rodge?'

'Rwyf wedi dod o hyd i'w hanes. Mae mewn ysbyty yn Llundain.'

Aeth Linda i gwrdd â gofid, a meddwl ei fod wedi cael damwain, wedi syrthio, a'i goes...

'Mae'n cael llawdriniaeth i dynnu'r darnau oedd yn cynnal ei goes hyd nes i'r cyfan asio.' Y driniaeth roedd ef wedi bod yn aros amdani, y driniaeth fyddai'n ddechre diwedd eu priodas.

Y fath eironi, meddyliodd, i ddiwedd eu priodas ddigwydd cyn hynny.

'Hoffech chi i fi ddod fyny i'ch swyddfa?'

'Diolch yn fawr iawn i chi, Rodge, ond ni fyddai fawr o help. Mae'r ffaith yn aros nad yw Cormac am fy ngweld byth eto.'

Aeth pedair wythnos heibio. Yr wythnosau mwyaf erchyll i unrhyw wraig. Bu raid i Linda ddweud wrth ei mam am y sefyllfa. Ni fedrai Rose gredu hynny. 'Mae wedi bod fel mab i mi, ac yn garedig iawn i chi. Mae yna gamddeall yn rhywle. Pan ddaw adre o'r ysbyty, fe ddaw gole ar y cyfan, fe gewch chi weld.'

Aeth dyddiau heibio a dim sôn am Cormac. Rhaid ei fod wedi dod allan o'r ysbyty ers tro byd, meddyliai Linda. Credai'n bendant ei fod wedi mynd i fyw gyda'i gariad. Nid oedd hyd yn oed gyfeiriad ei fflat yn Llundain ganddi.

Roedd Mrs Wendon bron torri ei chalon, ac ni chredai'r stori. 'Nid dyn fel yna yw Mr Daly. Wnâi e fyth ymddwyn mor greulon tuag at ferch fonheddig fel chi; rhywun mae'n ei charu gymaint.'

Gwenodd Linda'n flinedig a thrist. O, roedd yn ei charu'n ddigon iddo fynd a'i gadael y funud y twyllodd ei gynddyweddi ef!

Parhaodd Mrs Wendon i ofalu am y tŷ er fod Linda wedi mynd at ei mam. Byddai'n taro lawr at y ddwy yn bur aml i geisio eu cysuro.

Un min nos aeth Linda'n ara at y tŷ, a dychmygu gweld Cormac wrth ei waith neu yn ymlacio yn gwrando ar gerddoriaeth, ac yn ail-fyw eu nosweithiau o garu nwydwyllt. Mynd i'r stafell wely oedd yn peri mwyaf o boen iddi. Yno nid oedd raid iddi wrth ei dychymyg; roedd ef yno yn fyw yn ei chof. Aeth yn ddibwrpas at y ffenest a syllu allan ar yr hwyrnos.

Clywodd symudiad y tu ôl iddi. Trodd yn sydyn. Roedd dyn yn sefyll yn y drws, dyn tal a main, a lliw haul arno. Roedd yn sefyll yn gadarn ar ei ddwy droed.

'Cormac, rydych yn holliach. Rydych yn cerdded heb eich ffyn nac unrhyw help.'

Estynnodd ei breichiau tuag ato. Anwybyddodd hi'n llwyr, a gollyngodd hithau ei breichiau.

Gwisgai grys llewys cwta, a'i wddf yn agored a throwsus cotwm tynn. Roedd gewynnau cryfion ei freichiau brown i'w gweld yn eglur. Gallai, fe allai'r dyn yma'n ddigon siŵr gerdded heb help neb, y dyn â'r llygaid dur. Nid oedd angen ei help hi arno mwyach. Roedd yn gwbl annibynnol, gorff a meddwl.

Symudodd gam neu ddau yn nes ati.

'Beth ydych yn ei wneud yma?' ysgyrnygodd. 'Roeddwn yn meddwl fy mod wedi dangos yn ddigon eglur i chi fod pob cysylltiad rhyngom wedi ei dorri. Onid oedd fy ngeiriau yn ddigon eglur i ddangos nad oeddwn eisiau eich gweld yn fy nghartre byth eto.'

Roedd yn sangu ei serch tuag ato a'i hapusrwydd dan draed. Syllodd arno mewn dychryn wedi ei syfrdanu o'i weld yn y fath dymer. 'Cormac,' sisialodd, fel y galchen o lwyd, 'pam yr anfonoch y fath lythyr erchyll ataf? Beth wyf wedi ei wneud i achosi i chi fod mor greulon wrthyf?'

'Rydych yn gofyn i mi beth wnaethoch, a finne wedi cael gwybod fod y cariad cudd y smalioch amdano gennych mewn gwirionedd.'

'Dwedwch wrtha i, Cormac, dwedwch pwy yw'r cariad cudd bondigrybwyll yma?'

Aeth yn nes ati, a'i ddwylo ym mhocedi ei drowsus. Llosgai ei lygaid drwyddi, gan serio ei chalon.

'Ei enw?' taranodd. 'Chapman, y dyn a ddiswyddais i am iddo dynnu eich llun yn groes i fy ngorchymyn i. A pham yr ysgrifennais y llythyr? Am i Chapman, yn ystod un noson pan oeddech yn ei gartre, ddweud wrth y sawl oedd ar y ffôn eich bod yn cenfigennu am ei fod yn siarad â hi, a'ch bod yn anfodlon iddi dorri gair â'r un fenyw arall.'

'A'r un oedd ar y ffôn oedd Yolande Wilson, Cormac, sut y medrech gredu gair y ddau berson yna? Dyn sy'n manteisio'n hunanol ar draul eraill; a dynes a'ch twyllodd chi drwy fod yn anffyddlon a chanlyn dyn arall pan oedd hyd yn oed wedi ei dyweddïo i chi?'

'Rydych chithau wedi ymddwyn yn ddau-wynebog; dim mymryn yn well na nhw.'

'Drwy fod gennyf gariad pan oeddwn yn wraig i chi?' Gafaelodd yn ei lewys. 'Anwiredd yw'r cyfan. Mae'n bell o fod yn wir.'

Cododd ei llais yn ei hymdrech i brofi ei diniweidrwydd.

Tynnodd yntau ei freichiau yn rhydd o'i gafael. 'A dyw'r peth ddim yn wir, yw e? Beth yw eich eglurhad ar hyn? Tynnodd lyfryn o'i boced. Dwedwch wrthyf nawr, nad ydych yn ddau-wynebog.' Lluchiodd y llyfryn ati. Agorodd yn rhwydd ar y tudalennau canol.

'Mae Cymorth i'r Gegin wedi Llwyddo Eto, oedd y geiriau amlwg mewn print bras. 'Gwraig y Tŷ yn Mwynhau Hamdden.' Yn darlunio'r testun roedd lluniau o Linda mewn siwt nofio deu-ddarn. Un ohoni'n gorffwys ar lan llyn bach o ddŵr gloyw; un arall lle'r oedd yn lled-orwedd ar wely bach rwber wedi ei chwythu fyny. Roedd un arall hardd iawn ohoni'n eistedd wrth fwrdd mewn gardd dan ymbarél haul lliwgar.

Y rhain oedd y lluniau a dynnodd Larry Chapman pan ddaeth Cormac at ddrws y stiwdio a gorchymyn i Chapman ddifetha'r ffilm. Yn amlwg, nid oedd Chapman wedi ufuddhau iddo.

'Mae'n amlwg iddo gadw'r ffilm,' meddai Linda'n grynedig. 'Wyddwn i ddim am hynny, ac ni ofynnodd am ganiatâd i'w hargraffu.'

'Naddo wir,' meddai a thro yn ei wefus.

'A beth ydych yn awgrymu wyf i wedi ei wneud o'i le? O leiaf dwedwch wrthyf.'

'Rwy'n amau eich bod, nid yn unig wedi derbyn Chapman fel eich cariad, ond wedi uno ag ef i gael tipyn o hwyl drwy dynnu'r lluniau yma a'u hanfon i 'Cymorth i'r Gegin'. Rwyf hefyd yn dal i gredu eich bod yn gwybod ei fod wedi cadw'r ffilm.'

Aeth ati a gafael yn ei hysgwyddau a'i llusgo ato, a'i gorfodi i deimlo esgyrn ei gymalau a chaledwch cadarn ei gorff er peri poen iddi.

'Onid oedd yr arian a dalwn i i'ch cyfri banc yn ddigon i chi? A oedd yn rhaid i chi gael rhagor drwy dderbyn rhan helaeth o'r arian mawr a dderbyniai Chapman gan 'Celfi Cegin' am y fraint o gael llun wyneb a chorff gwraig Pennaeth y Cwmni fel rhan o'u hysbysebion?'

Gollyngodd Linda'r llyfryn i'r llawr. Daliodd ei phen â'i dwylo cyn syrthio ar y gwely. Teimlai fel pe bai paffiwr cryf wedi rhoi ergyd iddi yn ei chylla. Ni fedrai droi ei gwddf, ac ni fedrai siarad. Roedd ei llygaid yn sych; ni ddaeth dagrau.

Tynnodd ef ei dwylo'n rhydd. 'Codwch eich pen. Edrychwch arnaf.' Cododd Linda ei phen, ond dal ar gau roedd ei llygaid.

'A wyf wedi dryllio eich byd bach?' oedd ei gwestiwn creulon, drwy amlygu eich triciau slei?'

Agorodd ei llygaid a daliodd i syllu arno ar waethaf ei lygadrythu.

'Mae gennych chi gyfrinach. Mae gennych gariad. Rydych wedi cael Yolande Wilson yn ôl i'ch bywyd. Dyna'r rheswm pam roeddech eisiau gwared arnaf i fel eich gwraig.'

Rhyddhaodd ef ei dwylo. Roeddynt yn dal yn boenus wedi iddo eu gwasgu.

'Peidiwch meddwl,' brathodd, 'y medrwch, drwy fy nghyhuddo i â'ch celwyddau, gyfiawnhau eich gweithredoedd dirmygus chi.'

'Sut y gallant fod yn ddychmygol wedi i mi eu clywed gan Yolande Wilson ei hunan? Daeth ataf i'r swyddfa. Gofynnwch i Beti Peters.'

Cododd Linda ei phen yn ddigon urddasol. 'A ydych wedi derbyn eich cyn-ddyweddi yn ôl?'

'Naddo, ac ni wnaf hynny byth,' oedd ei ateb swta.

'Mae hynny'n golygu eich bod yn fodlon i gyd-fyw gyda hi, hyd nes y byddwch yn gyfreithiol rydd oddi wrthyf i.'

'Pwy ddwedodd fy mod i'n byw gyda hi?'

'Yolande Wilson ei hunan. Dywedodd eich bod wedi dod yn ffrindiau yn y Gynhadledd, a'ch bod chi'n awyddus iddi ddod yn ôl atoch. Roedd hithau'n edrych ymlaen at hynny. Dywedodd eich bod eich dau wedi trefnu i fynd i'ch cartre chi yn Llundain gyda'ch gilydd yn syth o'r gynhadledd. Dyna'r noson roeddem yn eich disgwyl chi adre.'

'Es i'r ysbyty yn syth o'r Gynhadledd. Roedd fy nghoes wedi bod yn boenus iawn drwy'r wythnos. Cysylltais â fy meddyg a dweud na fedrwn ddioddef rhagor o boen. Awgrymodd yntau nad oedd rheswm dros ohirio'r driniaeth, gan fod yr esgyrn yn y goes yn asio'n foddhaol.

'Felly, dwcud celwydd roedd Miss Wilson?'

Nodiodd Cormac.

'Ond pan ddaethoch allan o'r ysbyty, mae'n debyg i chi fynd yn ôl i'ch fflat?'

Nid atebodd Cormac.

'Roedd Miss Wilson wedi dweud mai yno roedd hi'n mynd i fyw.'

Daliodd ef i'w gwylio. Roedd y ffaith nad oedd wedi gwadu ei fod wedi mynd yn ôl i'w fflat yn poeni Linda. Nid oedd arno ei heisiau yn ei fywyd. Felly, nid yno roedd ei lle. Gan dynnu bysedd crynedig drwy ei gwallt aeth tua'r drws.

'I ble rydych yn mynd?' gofynnodd yntau.

'Allan o'ch cartre, ac allan o'ch bywyd am byth. Dyna ddwedsoch chi, yntê?'

'Dowch yma, Linda.'

Ysgydwodd ei phen, ond gwnaeth un ymgais arall i brofi ei diniweidrwydd.

'Cormac, mae'n rhaid i chi fy nghredu... Fûm i erioed yn chwennych arian er mwyn eu cael. Y cyfan a fynnwn, o'r dechre, oedd help i fy mam. Ewch i'w gweld nawr, fel y mae mewn gwirionedd. Mae'r ffaith ein bod ni'n gwahanu yn ei phoeni'n arw. Mae'n sâl, ac wedi colli pob diddordeb yn ei bwthyn, ac yn ddiofal ohoni ei hunan. Mae'n edrych yn waeth na phan benderfynais i fynd i'r cyfeiriad roesoch chi imi... y tŷ yma... mewn gobaith am swydd.'

'Dowch yma, ddwedais i.''

Roedd fflach yn ei lygaid, a'i lais yn ei gorfodi i ufuddhau. Safodd o'i flaen. 'Fe af i allan o'ch bywyd. Cewch gadw eich arian. Y cyfan rwyf yn ofyn yw caniatâd i fy mam aros yn y bwthyn. Byddwch yn onest â mi, a chydnabod eich bod chi ac Yolande wedi cymodi ac am fyw gyda'ch gilydd.'

Tra oedd hi'n siarad bu newid yn ei agwedd. 'Mae'r cyfan yn anwiredd. Pob gair ohono.' Er ei gwaethaf teimlodd ysgafnhad. 'Pam rydych yn disgwyl i mi eich credu chi, gan na chredwch chi yr hyn wyf i yn ddweud?'

'Mae ateb syml i'r cwestiwn yna.' Trodd y fflach yn ei lygaid yn belydryn, meddiannodd ei freichiau ei chorff gan afael amdani a'i gwasgu'n dynn at ei gorff. 'Mae ein cyrff yn ein dwyn at ein gilydd. Rwyf yn eich caru, Linda. Gadewch i mi eich cusanu. Rwyf fel dyn ar fin llwgu, ac yn ymestyn allan, nid am friwsionyn ond am y cyfan ohonoch. Wyddoch chi ddim beth wnaethoch i mi y tro cyntaf y gwelais chi, o'r funud honno, roeddwn wedi penderfynu eich cael.'

'Fy eisiau,' meddyliodd Linda, 'mynnu fy nghael.' Dim gair o gariad i dyneru ei awydd amdani. 'Linda, fy nghariad, byddwch yn ffyddlon i mi, a pheidiwch byth â fy ngadael.'

'Rwyf yn addo hynny; rwy'n eich caru gymaint fel na fyddwn byth yn eich gadael.'

Plygodd Cormac a gafael ynddi a'i chodi uwch ei ben.

Safai'n gadarn ar ei ddwy goes, gan fanteisio ar y nerth y bu raid iddo ei gadw yn ôl cyhyd. Buont yn caru'n angerddol wedi cael gwared ar y camddeall a'r storïau celwyddog.

'Cormac?'

'Ie?'

'Pam y gyrroch y llythyr hwnnw ataf? Gofynnais i chi o'r blaen, ond ni chefais ateb. Dywedwch wrthyf.'

Tynnodd hi ato. 'A oes raid i chi siarad? Mae'n well gen i orffwys fel hyn.'

'Ond bydd yn well i fi gael gwybod. Dwedwch wrthyf.'

'Yn gynta, ni fûm yng nghwmni Yolande Wilson yn ystod y Gynhadledd, er iddi hi wneud ei gore i hynny. Dwedais wrthi am gadw draw, fy mod yn caru'r ferch a briodais.'

'Cormac, yr ydych yn fy ngharu?'

Edrychodd arni mewn syndod. 'Pam rwyf gyda chi yn y fan hyn os nad wyf yn eich caru? A pham y rhoddais y fodrwy hardd yma i chi os nad oeddwn yn eich caru'n ddigon i'ch priodi?'

'Pam, ynte, y cadwoch lun Yolande?'

'I fy atgoffa am dwyll merched,' a'i lais fel iâ.'

'Pan holais i yn ei gylch, y cyfan wnaethoch oedd ei symud i'r drôr.'

'Tasech chi wedi edrych i waelod y drôr fe welech eich llun eich hunan.'

'Yr un ohonof yn llyfryn Celfi Cegin?'

'Yr union un. Swynodd y llun fi gymaint nes gwneud i mi weiddi, mewn tymer ddrwg, sylwch, am fy mod wedi addunedu na fyddwn yn talu sylw i unrhyw ferch.

'Ac fe lwyddais i wneud i chi dorri'r adduned?' Roedd ei ateb yn ei lygaid. 'Gwn yn awr eich bod yn fy ngharu.' Gwasgodd yn dynnach i'w freichiau.

'A ddwedais wrthych fod Yolande wedi dweud wrthyf fod ganddi ddylanwad cryf arnoch o hyd.'

'O, do fe, wir. Wel oes. Gall gynhyrfu fy nhymer ddrwg! Mynnodd ddod i fy ngweld y dydd Llun pan es i'r ysbyty. Dwedodd wrthyf am y sgwrs ffôn gyda Chapman. Gofalodd ddweud eich bod chi gydag ef yn ei gartre, a'r hyn a awgrymodd Chapman. Gwyddoch y gweddill.'

'Pan ddaethoch allan o'r ysbyty, ai mynd yn ôl i'r fflat wnaethoch?'

'Na, fe es i Ffrainc, i lan y Môr Canoldir am wythnos i ddod tros y driniaeth. Roedd yn angenrheidiol fy mod yn ymarfer digon, ac yn cerdded i gryfhau'r goes. Ac wrth reswm, roedd yr haul yn lles i mi.'

'Dyna lle cawsoch y lliw haul yna.'

'Ac adennill digon o nerth i ofalu ar ôl fy ngwraig. Pan sonioch yn yr helynt am fynd a fy ngadael, meddyliais sut yn y byd y byddwn yn gallu byw hebddoch.'

'Pryd y teimloch eich bod yn fy ngharu mewn gwirionedd?'

'Syrthiais dros fy mhen mewn cariad â'r ferch oedd yn y llun oedd wedi ei osod allan mor feiddgar ar dudalennau'r llyfryn hysbysebion hwnnw. Ond roeddwn eisiau eich gweld yn union fel yr oeddech... yn naturiol heb na phowdwr na phaent, ac yn eich dillad gwaith.'

'Dyna pam y dois i'r swyddfa lle'r oeddech yn gweithio. Roedd Yolande wedi llwyddo i wneud i mi golli ffydd mewn merched yn gyffredinol.'

'Fe ddwedais wrthych, on'd do, nad fi mewn gwirionedd oedd y ferch honno.'

'Ydych chi'n credu fod fy syniad am ferched yn fy ngwneud yn barod i dderbyn eich gair?'

'A dyna'r rheswm dros i chi fy niswyddo?'

'Roedd yna resymau eraill hefyd. Fe gofiwch i mi roi cyfeiriad i chi, — cyfeiriad y tŷ yma. Fy isymwybod oedd yn gosod trap i chi; gwyddwn y syrthiech iddo yn hwyr neu'n hwyrach. Ac fe wnaethoch, diolch i Dduw.'

Gwasgodd hi'n dynnach i'w fynwes.

'Beth wnaeth i chi newid eich meddwl i'r fath raddau gynnau fach, pan oeddem yn dadlau?'

'Fe ddwedsoch fod Yolande wedi dweud ei bod wedi dod yn ôl ataf i. Roedd rheswm yn dweud os oedd hi wedi dweud celwydd wrthych chi am beth mor bwysig, ei bod yn siŵr o fod yn dweud celwydd wrtha i am bethau llai.'

'Fel y celwydd amdanaf i a Larry Chapman.' Nodïodd Cormac.

'Pam yn y byd y gwrandawsoch arni, ac yna sgrifennu'r llythyr ataf i?'

'Dychmygwch y sefyllfa. Roeddwn mewn ysbyty yn disgwyl triniaeth lawfeddygol. Ar ben hynny roeddem ni'n dau wedi cweryla ar y ffôn chydig ddyddiau ynghynt; a chithau, yn eich tymer, wedi sôn am ryw 'gariad cudd'. Rhwng popeth roeddwn yn barod i gredu unrhyw beth ar y pryd. Dyna pam yr anfonais y llythyr. A ydych yn deall nawr?'

Nodiodd Linda. Gafaelodd â'i ddwy law ar ei hwyneb, a'i chusanu.

'Bu Rodge yn help mawr i mi, ac yn gwmni call pan oeddwn mewn pryder mawr am na wyddwn ble'r oeddech chi. Wyddech chi ei fod ef a Mandi, fy ffrind, yn canlyn ei gilydd?'

'Gwn, ac fe glywais hefyd eu bod yn mynd i briodi.'

'O, rwy'n falch o glywed. Ni fu Rodge fawr o dro yn ysgwyd llwch un ddynes oddi ar ei ddwylo cyn cymryd un arall.'

'Os ergyd i fi yw honna, ladi fach, go brin ei bod yn gymhariaeth deg.'

Chwarddodd Linda. 'A gaf fi fy ngwaith yn ôl?' gofynnodd.

'Os ydych am ddal swydd cyn geni ein plant, mae croeso i chi.

'Diolch, cariad,' sisialodd, ac edrych arno'n ddireidus, 'Gallaf nawr gario mlaen fy... fy... nghysylltiadau... gyda Mr Colling o Cymorth i'r Gegin.'

Plygodd ei breichiau o'i blaen yn dynn fel na fedrai ef gael gafael ynddi. Ond tynnodd ef hwynt yn rhydd, gan gymryd arno ei chosbi.

'Gwyddoch beth sy'n eich disgwyl am beth fel hyn.' Gafaelodd yn ei chorff a'i gwasgu. 'Dyna eich cosb.' A'i llygaid yn disgleirio gwenodd arno. 'Yr wyf eich eisiau, Cormac.'

'Yr wyf yn rhoi fy hun i chi fy nghariad, a hynny am byth.'